부모님을 위한 생각책

# 성교육 하는 아빠의
# 괜찮아, 사춘기

부모님을 위한 생각책

눈에 확 머리에 쏙쏙
그림에 퐁당 담긴
**성교육** 하는 **아빠**의
# 괜찮아, 사춘기

글 박제균   그림 김혜선

고양이뿔

## 이 책의 활용법

**이 책은** 사춘기를 맞은 자녀와 부모님이 함께 보는 성교육 교과서입니다. 성교육 책은 자녀만 읽는 책이 아닙니다. 부모님과 자녀가 같이 읽어야 최선의 효과를 얻을 수 있습니다.

**이 책은** 한 번 읽고서 책꽂이 높은 칸에 모셔 두는 책이 아닙니다. 가까이 두고 궁금할 때마다 찾아보는 내 손 안의 책입니다.

**이 책은** 진지하게 읽어야 하는 무거운 책이 아닙니다. 자녀의 질문 한 마디에 성(性)에 대한 모든 것을 설명해 주려고 애쓰기보다는 궁금해하는 부분만 간략히 설명해 주고, 나머지는 서로의 생각을 나누는 것으로 충분합니다. 이런 대화를 통해 성에 관련된 대화도 일상 속에서 편해져야 합니다.

**이 책은** 부모님께 성교육 전문가가 될 것을 요구하지 않습니다. 설명이 틀려도 상관없습니다. 완벽할 필요도 없습니다. 틀린 부분은 언제든 다시 설명해 줄 수 있고, 부족한 부분은 더 보태어 이야기하면 됩니다. 당황하거나 피하는 모습이 문제가 될 뿐입니다.

**이 책에** 담긴 작가의 생각이 모든 부모님의 생각을 대변하는 것은 아닙니다. 이 책의 내용을 토대로 부모님과 자녀가 대화를 나눔으로써 각자의 고유한 성교육 지침서가 만들어질 것입니다. 많이 생각하고 충분한 이야기를 나누는 것이 성교육의 기본이 됩니다.

**하나**, 자녀와 함께 <대화책>을 보기 전에 부모님은 반드시 <생각책>을 먼저 읽어 주세요.

**둘**, 자녀와 함께 <대화책>을 보면서 솔직하고 자유롭게 대화를 나누세요.

**셋**, 자녀의 질문에 대답하기 막막하거나 말문이 막힐 때는 언제든지 <생각책>을 펼쳐 보세요.

*<생각책>은 부모님을 위한 책이니 너무 어린 자녀가 보지 않도록 주의해 주세요.
*자녀와의 대화에 부담을 갖지 마세요. 어떤 질문에도 정답은 없으니 충분한 대화를 나누면서 함께 답을 찾으세요.

• 시작하는 글

# 어느 날 성폭력, 성추행 뉴스가 눈에 들어오고 귀에 담기다

결혼 후 10년이라는 긴 난임의 시간을 견뎌 딸을 낳았습니다. 딸이 성장해 감에 따라 다른 세상 얘기처럼 느껴지던 성폭력, 성추행 뉴스가 눈에 들어오고 귀에 담겼습니다. 이 위험한 세상 속에서 딸을 안전하게 키울 수 있을지 문득 걱정이 되었습니다. 성교육의 필요성을 절실히 느꼈지만, 제 자신이 성교육을 제대로 받아 본 적이 없어 어떻게 가르쳐야 할지 막막했습니다. 서둘러 성교육 강의와 세미나를 찾아다니다 보니 반드시 배워야 할 것, 정말 중요한 것들을 많이 알게 되었습니다. 하지만 그것들을 아직 어린 딸에게 어떻게 설명해 주어야 할지 난감했습니다. 몇 년 동안 관련 서적을 찾아 읽고 깊이 고민하면서, 또 4천 명이 넘는 상담을 통해 마침내 아빠가 자녀에게 해 줄 수 있는 가치 있는 성교육의 길을 찾게 되었습니다. '성교육 하는 아빠'의 시각으로 바라본 성교육에 대해 하고 싶은 말이 많습니다.

부모님들은 자녀 교육에 관심이 많습니다. 그러나 부모님이 성교육에 관심을 갖기 시작할 무렵 자녀는 어느새 사춘기를 맞게 되고, 자녀와 함께할 수 있는 시간이 부족한 아빠는 차츰 자녀와의 소통에 소홀해집니다. 결국 부담스러운 성교육은 엄마의 몫으로 남겨지고, 아빠는 회피하거나 외면하기 십상입니다. 이런 관계 속에서 성 소통을 이끌어 내기 위해서는 부모와 자녀 모두에게 부담스럽지 않은 책이 필요하다는 생각이 들었습니다. 특히 아빠의 관점에서 생각하고 고민하여 얻어 낸 결과물이 절실히 부족함을 느꼈습니다.

　아무리 많은 책을 읽어도 삶의 정답을 찾기란 쉽지 않습니다. 책을 통해 접하는 것은 타인의 관점을 간접 체험하는 것일 뿐 자신의 경험이 아니기 때문에 이해는 할 수 있어도 공감을 얻기란 사실 쉽지 않습니다. 저 역시 생물학이나 교육학을 전공하지 않은 보통의 부모이자 아빠로서 관점의 한계가 분명히 있을 것입니다. 그러나 이 <생각책>이 부모님들의 풍부한 관점을 만들어 가는 데 도움이 될 것으로 믿으며, 특히 아빠들이 자녀 성교육에 적극적으로 동참해 주기를 바라는 마음입니다.

박제윤

# 차례

이 책의 활용법
시작하는 글

## 제1장 사춘기

### 사춘기가 되면 어떤 변화가 생길까?
1. 이성에 대한 관심 012
2. 외모와 복장 013
3. 이상형을 향한 관심과 애정 015
4. 허세와 충동 017
5. 생리적 변화 019
6. 성적인 미디어 021

### 사춘기를 바라보는 관점
1. 부모님의 사춘기 시절 022
2. 반항과 자기주장 023
3. 존중과 자립심 024

### 부모와 사춘기 자녀의 소통
1. 부모님이 갖추어야 할 대화의 자세 026
2. 자녀가 갖추어야 할 대화의 자세 027

## 제2장 이성 친구

### 이성 친구와 어울리기
1. 이성 친구가 불편한 이유 032
2. 관심 표현하기 034
3. 배려하고 존중하기 035
4. 한계선 지키기 036
5. 오해와 상처 없이 헤어지기 037

### 이성 친구를 통해 얻는 것과 잃는 것
1. 얻는 것 038
2. 잃는 것 039
3. 주의해야 할 것 040

### 남자다움과 여자다움
1. 사회의 고정 관념과 성평등 042
2. 남자다움과 여자다움 043
3. 양성적인 사람 045
4. 성 정체성 혼란 046

## 제3장 신체

### 2차 성징
1. 신체의 변화 048

### 가슴의 역할과 기능
1. 여자의 가슴이 발달하는 이유 050
2. 가슴의 발달 과정 052
3. 젖꼭지의 존재 이유 054

### 우리 몸의 성기
1. 성기의 모양과 기능 056
2. 성기의 명칭 057
3. 성기의 개인차 058
4. 남자의 포경 수술 059
5. 여자의 자궁 061

### 생명 탄생을 준비하는 생리
1. 생리와 생리통 063
2. 생리의 시작, 초경 065
3. 생리 때의 기분 변화 067
4. 생리대의 필요성 068

## 제4장 몽정과 자위

### 음경의 발기
1. 발기의 뜻 074

### 꿈속의 쾌감, 몽정
1. 몽정의 뜻 077
2. 몽정 때 행동과 몽정 후 행동 078

### 건강한 자위
1. 자위의 뜻 082
2. 자위를 하는 이유 082
3. 올바른 자위 방법 083
4. 자위 후 뒤처리 084

## 제5장 성관계와 임신

### 남자와 여자의 성관계
1. 성관계란? 090
2. 사랑과 성관계 094

### 새 생명의 탄생, 임신
1. 정자와 난자의 만남 096

### 낙태와 피임
1. 어쩔 수 없는 어려운 선택, 낙태 102
2. 아기를 낳아 키울 수 없을 때의 선택, 피임 102
3. 피임 방법 104

## 제6장 음란물

### 음란물의 의미
1. 음란물의 중독성 106
2. 음란물에 대한 오해 108
3. 성행위와 성관계의 차이 109

### 성인물의 의미
1. 성인물이란? 113

## 제7장 성폭력

### 일상 속 성폭력
1. 성폭력 상황 알기 118
2. 명확하지 않은 성폭력 119
3. 명확하지 않은 성폭력의 대처법 121

### 언어 성폭력
1. 언어 성폭력이란? 124
2. 성폭력이 될 수 있는 언어 125

### 성폭력에 대한 대처
1. 성폭력에 대한 인식 바꾸기 127
2. 즉시 보호자에게 알리기 127
3. 성폭력 관련 기관에 신고하기 128

## 제8장 사랑과 결혼

### 결혼은 왜 할까?
1. 만남과 데이트 132
2. 고백과 연인 133
3. 결혼과 성관계 135
4. 아기의 탄생 137
5. 부부에서 가족으로 138

### 이혼은 왜 할까?
1. 결혼의 약속을 깨는 이혼 139

### 이성애와 동성애
1. 보편적인 사랑과 소수자 142
2. 동성애를 바라보는 시선 143

### 성평등과 존중
1. 진정한 성평등 146
2. 페미니즘이란? 146
3. 미디어와 페미니즘 147
4. 혐오와 페미니즘 148

마치는 글
Q & 아빠 생각

# 제1장
## 사춘기

> 독립된 자신을 찾고자
> 스스로 첫발을 내딛어 보는 시기

# 사춘기가 되면 어떤 변화가 생길까?

## 1. 이성에 대한 관심

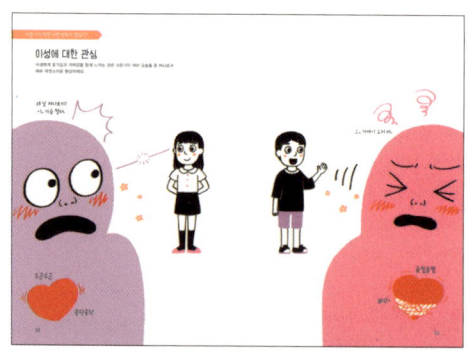

대화책 10-11쪽

사춘기가 되면 평소 특별한 관심을 두지 않던 이성에게 관심이 생기기 시작합니다. 괜히 가슴이 떨리고, 쳐다보는 것도 왠지 부끄럽습니다. 날마다 바르는 로션 같은 이성의 화장품 냄새에도 민감해집니다. 더불어 자신의 이런 낯선 감정에 놀라고 당황하여 이성에 대해 거부감이 생기기도 합니다. 상대방을 싫어하는 것도 아닌데 가까이 오면 괜히 예민해져서 문득 짜증이 나거나 피하고 싶어지기도 합니다.

### 💬 아빠 생각

초등학교 고학년 때 있었던 일입니다. 같은 반 여자 친구의 생일에 친구들과 함께 초대를 받았습니다. 그런데 하필이면 그날 양말을 신고 가지 않아 들어가지 못하고 집 밖에서 망설이다가 결국 포기하고 돌아섰습니다. 그날 이후 여자 친구는 내가 초대를 거절한 것으로 오해한 듯 나와 거리를 두었고, 그 태도에 나 또한 마음이 상해서 그 친구와 멀어지고 말았습니다. 나는 여자 친구 집에 맨발로 들어가는 것이 겸연쩍었던 것 뿐이었습니다. 그 무렵 처음 느끼는 낯선 감정들 때문에 혼란스러워 어떻게 해야 할지 몰랐던 것입니다. 지금 생각해 보니 그때 사춘기가 시작되었고, 그 여자 친구에게 호감을 갖게 되어 맨발을 보이기 부끄러웠던 것 같습니다.

분명 상대방을 좋아하는데 나도 모르게 짜증을 내고, 가까이 다가가고 싶다가도 갑자기 달아나 숨고 싶어진다고 해서 겉과 속이 다른 이중인격자인 것은 아니에요. 이것은 사춘기의 여러 모습들 중 하나로, 매우 자연스러운 현상이에요.

서로 반대되는 이중적인 감정을 동시에 느끼는 건 남자뿐 아니라 여자도 마찬가지랍니다.

## 2. 외모와 복장

대화책 12-13쪽

사춘기 자녀들은 친구들에게 인정받고 싶고 관심받고 싶어 합니다. 또 어른처럼 보이고 싶어 합니다. 성장 속도가 빨라지면 자연히 외모도 성숙해지면서 치장에 더 많은 관심을 갖게 됩니다.

💬 **아빠 생각**

나도 학생 때 친구 중에 누군가 유명 브랜드 옷이나 유행하는 신발을 신고 오면 몹시 부러웠습니다. 부모님을 졸라 손에 넣었지만, 얼마 지나지 않아 유행과 관심은 또 새롭게 바뀌었습니다. 그때는 내 존재감이 약해서 무리에 속해 함께 어울리며 인정받고 싶은 마음에 물건과 자랑거리에 관심을 기울였던 것 같습니다. 하지만 인정받는 것은 물건이 아니라 나 자신이어야 합니다. 내가 가장 잘할 수 있는 것을 찾아내 그것으로 인정받아야 한다는 것을 그때는 몰랐던 것입니다.

## 왜 사춘기가 되면 화장을 하고 싶어 할까요?

대화책 14-15쪽

빠른 성장과 함께 계속 바뀌어 가는 외모의 변화는 자녀의 새로운 관심과 집착을 부릅니다. 변화하는 외모에 맞추어 어른처럼 보이고 싶은 마음에 화장을 합니다. 이 무렵의 자녀들은 남들이 나를 어떻게 보는지가 매우 중요하기 때문입니다. 외모 치장은 여자만 하는 것은 아니라서 남자도 옷이나 헤어스타일 같은 외모에 관심이 커집니다.

### 💬 아빠 생각

어른의 시선으로 보면, 화장하는 자녀는 화장을 통해 자신이 어른처럼 보인다고 믿는 것 같습니다. 서투르고 진한 화장은 오히려 더 미숙하고 어려 보이게 한다는 것을 모르는 듯합니다. 화장을 하고 싶다면 먼저 화장을 하는 이유를 제대로 이해하고, 자신에게 맞는 올바른 화장법을 배워야 합니다. 화장은 외모의 결점을 감추기 위한 것이 아니라 장점을 돋보이기 위한 것입니다. 따라서 진한 화장은 오히려 자신의 건강한 모습을 가리는 역효과를 가져온다고 설명해 줄 필요가 있습니다.

> 사춘기 때는 깨끗이 세수하고 화장수를 발라 여드름이 생기지 않도록 해 주어야 해요.

> 자신을 가장 예쁘게 보이는 화장법을 알고 싶다면 엄마나 언니, 누나의 조언을 구하는 것도 좋은 방법이에요.

## 3. 이상형을 향한 관심과 애정

대화책 16-17쪽

사춘기가 되면 본받고 싶거나 닮고 싶은 대상이 생깁니다. 자신이 닮고 싶은 사람, 이상적인 사람을 찾아 애정을 쏟습니다. 그리고 그 대상들은 본인의 성장과 함께 계속 바뀌거나 변화하면서 내면적 성장이 이루어집니다.

💬 **아빠 생각**

나도 사춘기 때 좋아하는 이상형이 생겼고, 이상형의 그녀를 넋을 놓고 보곤 했습니다. 그녀의 사진을 책받침으로 만들어 사용하기도 했습니다. 요즘 온라인 쇼핑몰에서 판매하는 '연예인 굿즈' 상품과 비슷하다고 볼 수 있습니다. 부모님은 이상형 그녀에게 푹 빠져 있는 나를 못마땅해하셨습니다. 공부에 방해될까 염려하신 것이었습니다. 시간이 흘러 내가 어른이 되어 내 아이를 지켜보니 대상만 바뀌었을 뿐 내 아이도 그때의 내 모습과 비슷하다는 생각이 듭니다. 아마 대부분의 부모님들도 공감할 것입니다. 따라서 지나치지만 않다면 이상형을 좋아하는 것은 크게 걱정할 문제가 아닙니다. 부모 세대가 그랬듯이 우리 자녀들도 어른이 되면서 좋아했던 이상형은 추억 속에 남겨질 것입니다.

 **사춘기 아이들이 이상형에게 관심을 쏟는 이유는 무엇일까요?**

대화책 18~19쪽

사춘기는 자신이 누구이고, 무엇 때문에 태어났는지 정체성을 고민하는 시기입니다. 그래서 자신보다 뛰어난 사람들과 남몰래 비교를 하며 열등감을 느끼기도 합니다. 또 '되고 싶은 대상'을 찾아 동경하고 꿈을 꿉니다. 어릴 때는 동경의 대상이 부모님이었다면 자라면서 차츰 자신의 영웅, 즉 선생님, 운동선수, 연예인 등 이상적인 롤 모델로 바뀌어 갑니다. 이때 TV, 영화, 드라마 등 시각적 자극이 큰 미디어를 통해 접하는 대상을 더 선호하게 됩니다. 지나친 집착만 아니라면 이런 경험들도 앞으로 사랑을 배워 나가는 과정 중 하나가 될 것입니다.

💬 **아빠 생각**

우리 부모도 사춘기 시절에 좋아하는 이상형 한두 명쯤은 있었습니다. 시간이 흘러 열정은 점차 줄어들었다지만 그 감정은 추억으로 남아 있을 것입니다. 어른이 되어 TV나 인터넷에서, 혹은 주변에서 예전에 좋아하던 이상형을 보면 그 시절 설렜던 감정이 되살아나 자녀에게 "엄마가 좋아했던 연예인이야!", "아빠가 좋아했던 운동선수야!", "엄마가 좋아했던 선생님이셔!"라며 흥분된 감정을 드러내기도 할 것입니다. 이것은 그동안 줄곧 그 이상형을 마음에 담고 좋아해 왔기 때문이 아니라 과거에 느꼈던 설렘이 되살아난 것입니다. 자녀가 지금 좋아하는 이상형에게 열정을 쏟으며 빠져 있다 해도 시간이 지나면 우리가 그랬듯 추억으로 남겨질 것이니 너무 걱정할 필요 없습니다.

사춘기 때 누군가를 흠뻑 좋아해 본 경험이 없다면 어른이 되었을 때 추억할 거리가 풍부하지 않아 오히려 아쉬움이 남을 수도 있어요.

친구들과 좋아하는 이상형에 대한 정보를 공유하고 공감하는 것도 청소년기의 큰 즐거움이죠.

## 4. 허세와 충동

대화책 20-21쪽

사춘기는 자신의 장점과 미래의 방향을 발견해 나가는 시기입니다. 그러나 아직 정확한 방향을 찾기 전이라서 불안하고 위축될 수밖에 없습니다. 그래서 자신의 부족한 점을 포장해 주고 과장되게 부풀려 주며, 간혹 힘으로 표현되기도 하는 '허세'를 부리게 됩니다. 다수의 청소년들이 실속 없이 겉으로만 드러나 보이는 이런 모습을 자신의 매력으로 생각합니다. 멋 부리기와 치장하기 같은 것도 허세에 속합니다. 또한 청소년들은 종종 충동적인 모습을 보이곤 합니다. 순간적으로 어떤 욕구를 억누르지 못하고 행동으로 표출하는 것입니다.

💬 **아빠 생각**

사춘기였던 청소년 때, 누군가 허세를 부리면 나도 질세라 따라서 허세를 부리곤 했습니다. 친구들 중 누군가 내 어깨를 치고 가면 화를 참지 못해 싸움으로 번지기도 했습니다. 그때는 왜 그렇게 느껴졌는지 모르지만, 그런 행동들이 왠지 나를 업신여기는 것만 같았습니다. 또 친구들과의 싸움에서 항상 이기기만 한 것은 아니라서, 어느 날 싸움에 지기라도 하면 그날 밤에는 분해서 잠을 이루지 못했습니다.

사춘기는 생각하고 기다리기보다 우선 행동부터 하고 보는 시기입니다. 나 역시 충동적이고 우발적인 행동을 하고 난 뒤에 후회하는 일이 많았습니다. 게다가 요즘은 사춘기 관련 책들이 많다 보니 자신의 행동을 "사춘기라서 그래요!" 하며 방패막이를 하려 드는 경우가 많은 듯합니다. 그러나 사춘기가 면죄부는 될 수 없으며, 저절로 문제가 해결되지도 않습니다. 부모님 또한 사춘기를 겪었지만, 혼이 나고 후회하고 뉘우치는 과정 속에서 충동은 자신에게 도움이 되지 않는다는 것을 깨닫게 됩니다. 그래서 차츰 인내하고 생각하는 법을 배워 나갑니다. 자녀가 충동적으로 변해 간다면 부모님의 경험을 바탕으로 훈련과 인내를 통해 스스로를 조절하는 방법을 배울 수 있도록 도와주어야 합니다. 성인 중에도 자기 조절 능력이 떨어지는 사람이 있는데, 그런 사람은 사춘기 때 충동 조절 훈련이 부족했기 때문일 것으로 여겨집니다.

충동을 조절하는 간단한 훈련 방법으로 숫자 세기, 심호흡하기, 다른 생각하기, 운동하기, 건전한 친구 만나기 등이 있어요.

자신이 좋아하는 음악을 듣거나 혹은 신나는 음악을 틀어 놓고 땀이 날 정도로 춤을 추는 것도 좋은 방법이 될 수 있어요.

## 5. 생리적 변화

대화책 22-23쪽

자녀들은 아기를 가질 수 있는 몸으로 성장해 가면서 몽정 또는 초경을 경험하게 됩니다(자세한 내용은 제3장 참고). 자녀는 자신의 몽정이나 초경을 접한 뒤 부모의 반응이 어떤지 예민하게 살핍니다. 이때 부모가 놀라거나 걱정을 하면 자녀 역시 걱정과 함께 부정적인 이미지를 갖게 되어 몽정이나 초경에 대해 불안해하거나 걱정하게 됩니다.

💬 **아빠 생각**

초등학교 5학년 때의 일입니다. 자다가 이상한 느낌이 들어 일어나서 팬티 안쪽을 확인해 보니 하얀 액체가 묻어 있었습니다. 그때는 그것이 무엇인지 몰라 많이 놀랐는데, 바로 '몽정'이었습니다. 얼마 후 이 사실을 알게 된 부모님은 어떤 태도를 보여야 할지 몰라 당황하셨습니다. 당시에는 성에 대한 교육이 일반적이지 않아서 모르는 척 엉뚱한 말을 하며 피했던 것 같습니다. 그러나 요즘은 학교 성교육 시간이나 책에서 많이 다루고 있기 때문에 자녀의 몽정과 자위, 초경에 대견하다는 표현을 하는 가정이 많습니다. 또한 사춘기가 되었는데 자녀가 몽정이나 초경을 하지 않는다고 걱정할 필요도 없습니다. 몽정이나 초경은 개인차가 있어서 조금 빠르거나 조금 늦어질 수도 있기 때문입니다.

#  사춘기가 되면 키가 안 크나요?

대화책 24-25쪽

요즘은 사람들이 큰 키를 선호하다 보니 사춘기가 빨리 오면 성장이 멈출까 봐 걱정하는 경우가 많습니다. 그러나 사춘기가 되었다고 키 성장이 멈추는 것은 아닙니다. 이전에 비해 자라는 속도가 줄어드는 것뿐입니다. 또한 사춘기를 맞는 시기는 개인마다 조금씩 차이가 있어 사춘기가 빨리 오는 사람도 있고, 늦게 오는 사람도 있습니다. 사춘기가 빨리 오는 이유는 크게 유전적 요인과 환경적 요인으로 나눌 수 있습니다. 유전적 요인은 부모님께 물려받은 것이라 어쩔 수 없지만, 환경적 요인은 노력으로 어느 정도 해결할 수 있습니다.

● 환경적 요인
  ① 영양 과잉 섭취(패스트푸드, 인스턴트식품, 밀가루 음식 등)
  ② 활동량 부족(운동 부족, 스마트폰 사용 및 게임 시간 증가)
  ③ 자극적인 매체(음란물, 폭력물 등)
  ④ 과도한 스트레스(학교 성적, 가정 불화 등)

 환경적 요인은 가족의 도움과 본인의 의지와 노력으로 충분히 개선될 수 있습니다. 자녀의 실천만을 요구하기보다는 부모님과 자녀가 함께 방법을 찾아 실천하면서 응원해 주세요.

인스턴트식품보다는 몸에 좋은 음식을 먹고, 농구나 줄넘기 같은 운동으로 성장판을 자극하면 키 성장에 도움이 된답니다.

## 6. 성적인 미디어

대화책 26-27쪽

사춘기 때는 신체 변화만큼 성적 호기심도 왕성해집니다. 이 무렵에는 미디어가 보여 주는 내용이 자녀들에게 민감하게 다가올 수 있습니다. 그러나 성장 속도나 교육, 환경에 따라 성적인 이해와 민감도는 저마다 다를 수 있습니다.

### 💬 아빠 생각

자녀들은 스마트폰과 인터넷 등 미디어의 홍수 속에서 성장합니다. 개방화된 성 문화는 가정뿐 아니라 친구들 간에 가십거리가 된 지 오래라서 자녀가 왜곡된 미디어를 보지 못하도록 막을 수 없는 것이 현실입니다. 성 상담 중에 자녀와 함께 케이블 방송을 보다가 수위 높은 장면에 당황하여 자녀의 눈을 가리거나 TV를 껐다는 경험담도 있었습니다. 부모님은 적절히 대처했다고 생각할지 모르나, 자녀는 음란물을 보았다는 죄책감과 함께 부모님이 몹시 부끄러워했다는 기억이 남게 됩니다. 음란물의 기준은 자녀 스스로 정한 것이 아니기 때문에 '청소년 관람가' 등급도 경우에 따라서는 음란물로 여겨질 수 있습니다. 이때 부모님은 당황하지 말고 침착하고 자연스럽게 넘겨야 합니다.

 난처하게 느껴지는 위와 같은 상황도 간단한 설명을 곁들인다면 성교육 자료로 활용할 수 있답니다.

 내 자녀에게 맞춘 '우리 집 미디어 시청 기준'을 만들어 보는 것도 건강한 가족 문화에 도움이 될 거예요.

# 사춘기를 바라보는 관점

## 1. 부모님의 사춘기 시절

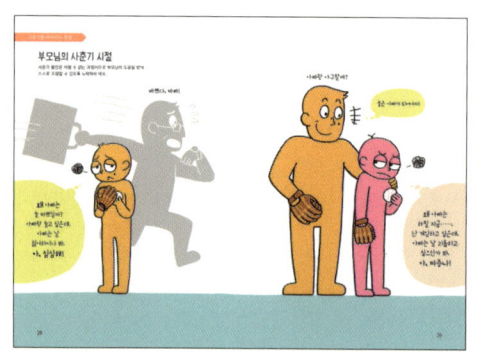
대화책 28-29쪽

부모님도 사춘기를 겪었다면서 왜 자신을 이해하지 못하느냐고 호소하는 청소년을 종종 보게 됩니다. 부모님이 간과하지 말아야 할 것은 자신이 사춘기를 겪었던 시기가 몇십 년 전이라는 사실입니다. 당시의 세세한 감정과 고민은 시간이 지나면서 많이 잊혀질 수밖에 없습니다. 따라서 자신의 과거 경험에 자녀의 현재 상황을 대입시키지 않도록 해야 합니다. 이는 자칫 문제만 더 확대시킬 수 있으니 주의해야 합니다.

💬 아빠 생각

부모님은 그 시절 자신이 느꼈던 불만 중 몇 가지는 잊지 않고 있을 것입니다. 그래서 자신의 자녀에게만큼은 같은 경험을 하지 않도록 노력합니다. 그러나 자녀들은 그 시절 부모님의 불만에 공감할 수 없기 때문에 "엄마 아빠가 사춘기였을 때는 말이야……."라는 말이 답답한 훈계로만 들릴 뿐입니다. 자녀는 부모님과 다른 시대, 다른 환경에서 살아가고 있으므로 부모님과는 생각하는 것, 고민하는 것이 다를 수밖에 없다는 것을 인정해야 합니다. 사춘기의 불만은 모두 다 똑같지 않다는 것을 잊지 말고, 소통과 대화를 통해 자녀의 불만에 대한 문제를 해결해야 합니다.

부모님은 자녀 양육의 방향에 있어서 자신의 기억에 의존하는 부분이 많아요. 자신의 경험을 기준으로 자녀의 상황을 판단하다 보니 다툼을 피할 수 없는 거예요.

우리 어른들이 과거에 부모님의 이해와 공감에 목말랐던 것처럼 사춘기 자녀들도 지금 부모의 이해를 목말라할 거예요. 자녀의 생각과 고민을 들어 줄 귀와 마음을 활짝 열어 놓고 대화를 해 보세요.

## 2. 반항과 자기주장

대화책 30~31쪽

부모님과 자녀의 생각은 분명 다를 수 있습니다. 하지만 불변의 공통점이 있습니다. 그것은 바로 서로를 사랑한다는 것입니다. 만일 그렇지 않다면 서로를 이해하지 못한다 해서 슬플 것도 없고, 다툴 이유도 없을 것입니다. 자녀의 말이나 행동에 왜 그토록 흥분되고 화가 나는지를 생각해 본다면 그 안에 사랑이 있음을 깨닫게 될 것이며, 부정적으로 느껴졌던 많은 것들이 긍정적으로 바뀔 것입니다.

### 💬 아빠 생각

부모님이 자녀를 못마땅하게 생각하는 것은 사실 자신의 문제인 경우도 많습니다. 또한 자녀가 부모님께 화를 내는 건 자기 자신에게 불만이 생겨서인 경우도 종종 있습니다. 사춘기에 들어선 자녀는 이미 성장과 변화의 길을 걷고 있음을 잊지 말아야 합니다. 이 점을 간과하여 변함없이 어릴 때의 소통 방법으로 자녀와 대화하려 한다면 마찰은 피하기 어려울 것입니다. 우선 부모님은 자녀가 반항을 하는 것인지 자기주장을 하는 것인지부터 구분할 필요가 있습니다. 부모님의 말씀이 합리적이라면 자녀도 기꺼이 부모님의 말씀에 귀 기울일 것입니다.

"저한테는 게임하지 말라면서 왜 엄마 아빠는 게임을 해요?", "야동(야한 동영상)이 나쁘다면서 어른들은 왜 보나요?"와 같은 자녀의 불합리한 항의성 질문에는 납득할 만한 설명을 해 주어야 해요. 이때 중요한 것은 감정적이지 않은 원만한 대화여야 한다는 거예요. 만일 마땅한 답변을 할 수 없는 입장이라면 우선 부모님부터 바뀌어야 하겠지요.

자녀가 "다이어트 안 해도 된다면서 왜 많이 먹는다고 눈치를 주세요?"라는 항의를 한다면 과식의 단점과 부작용에 대해 충분히 설명해 주면 돼요.

## 3. 존중과 자립심

자녀가 반항이 아닌 자기주장을 하는 것으로 판단된다면 이제 부모님의 생각에 의존하지 않고 스스로 생각하려 하는 것으로 이해해야 합니다. 이는 자녀가 비판적, 논리적 시각을 갖추어 가는 과정이므로 기뻐할 일입니다. 부모님이 자녀를 존중해 주어야 자녀는 자기주장을 인정받았다고 느껴 자립심이 강해집니다.

💬 **아빠 생각**

부모님 입장에서는 자녀의 말과 행동이 마음에 차지 않을 수 있지만, 자녀의 성장과 변화에 맞추어 부모님도 변해야 합니다. 또한 자녀에게 부모님이 쉽게 바뀌기는 어렵다는 것을 설명해 줄 필요가 있습니다. 부모님은 오랜 세월 살아오면서 다양한 변화를 겪어 왔고, 그 과정에서 나름대로의 규칙을 만들어 안정적인 가정을 꾸려 왔음을 알려 주면 됩니다. 부모님이 변화하려면 자녀의 도움이 필요하다는 것도 알려 주어야 합니다. 아울러 당연하게 여기고 있는 부모님의 울타리가 얼마나 소중하고 중요한지도 일깨워 주어야 합니다. 이 사실만으로도 자녀는 부모님께 최소한의 예의는 갖추어야 할 이유가 되는 것입니다.

부모의 의견을 강요하고 윽박지르는 대신 자녀의 생각과 의견을 묻고 귀 기울여 준다면 자녀는 자신이 존중받았다는 생각에 더욱 의젓한 모습을 보이고자 노력할 거예요.

때로는 아이가 어른의 거울이 되기도 한다는 점을 잊지 마세요. 부모가 먼저 자녀를 존중하는 모습을 보이면 자녀도 부모의 말에 더욱 귀 기울이게 된답니다.

# 부모와 사춘기 자녀의 소통

## 1. 부모님이 갖추어야 할 대화의 자세

사춘기 자녀는 자존심을 자극하는 부모님의 말과 행동으로 통제 받기보다는 포용적인 관심과 믿음을 원합니다. 따라서 자녀와 대화할 때는 자녀와 서로 마주보고 시선을 맞추며 소통하고, 대화 시간은 길지 않게 하되 대화의 질은 높여야 합니다. 이때 사소한 잡담보다는 부모님과 자녀의 이야기를 주제 및 소재로 삼는 것이 좋습니다.

💬 **아빠 생각**

부모님은 사춘기 자녀가 아직 어려서 자신들의 말을 잘 이해하지 못한다고 말합니다. 하지만 정말 중요한 것은 이맘때 자녀들은 자신의 감정과 생각을 잘 표현하지 못한다는 데 있습니다. 따라서 부모님은 자녀의 표정과 행동을 잘 관찰하여 말하고자 하는 의미를 정확히 읽어 내야 합니다. 이것이 쉽지 않다면 편지나 SNS를 통해 서로의 마음 속 생각을 주고받는 방법도 좋습니다. 자신의 생각을 글로 표현하다 보면 생각을 차분히 정리하는 기회도 가질 수 있어 효과적입니다.

자녀의 표정과 행동을 관찰하라는 것은 잘못된 행동까지 묵묵히 지켜보라는 뜻은 아니에요. 만일 문제 행동이 명확하며 또한 반복된다면 정확한 훈육을 해야 해요. 이때 화를 내기보다는 생활 속에서 당연하게 받아들여지고 있는 혜택들을 일시적으로 중단함으로써 자녀 스스로 불편함을 느껴 뉘우칠 수 있도록 하는 것도 하나의 방법이 될 수 있어요.

생활 속의 당연한 혜택이란 예를 들면 스마트폰, 인터넷 사용, 용돈, TV 시청, 게임 시간 등을 말해요.

## 2. 자녀가 갖추어야 할 대화의 자세

대화책 32-33쪽

부모님에게도 미흡한 점이 있고, 실수도 할 수 있습니다. 그런데 자녀들이 부모님의 작은 실수를 핑계 삼아 화를 내고 말대꾸를 하면 부모님은 몹시 서글퍼집니다. 그럼에도 부모님은 어른이라는 이유로, 또 자녀를 사랑하기 때문에 이를 참고 인내합니다. 부모님은 자녀의 복종을 요구하는 것이 아니라 단지 존중과 예의 바른 행동을 바랄 뿐임을 이해시켜 주어야 합니다. 이런 맥락에서 부모와 자녀의 대화에서 큰 문제로 지적되고 있는 것 중 하나가 바로 '말투'입니다. 마음은 그렇지 않더라도 말투가 좋지 않으면 오해가 생기기 쉽습니다. 말투 때문에 원치 않는 오해가 생겨 평생 미워하고 원망하는 사이가 된다면 참으로 안타까운 일일 것입니다. 좋은 말투란 좋은 대화의 기본입니다.

💬 **아빠 생각**

사춘기의 여러 문제들은 시간이 저절로 해결해 주지 않습니다. 또한 사춘기는 부모님과 자녀 사이만의 문제도 아닙니다. 사춘기란 자기 자신을 발견하고 알아 가면서 자립할 수 있는 존재가 되어 가는 과정입니다. 그 과정에서 형제, 친구, 선생님, 친인척 등 많은 사람들과 어떤 관계들이 이어지고 또 다양한 경험과 영향을 받느냐에 따라 자립된 어른으로서 갖추어야 할 인내, 책임, 조절 능력 등을 배우게 됩니다.

이 때문에 부모님은 자녀의 친구들에 대해 알고 싶어 하고, 혹시 나쁜 영향을 주지는 않는지 살피고 걱정합니다. 하지만 자녀의 입장에서는 이것을 부모님의 지나친 간섭으로 받아들일 수도 있습니다. 그러므로 부모님은 자녀의 친구 문제에 신중히 다가가야 합니다.

 사춘기가 되면 부모님과 자주 싸우게 되는 이유가 뭘까요?

대화책 34-35쪽

사춘기란 육체적·정신적으로 성인이 되어 가는 시기로, 성호르몬의 분비가 증가하여 2차 성징이 나타나며 생식 기능도 발달하는 시기입니다. 또한 급격한 변화로 인해 심리적인 부담이 생겨 걱정도 많아지고 쉽게 우울해지기 때문에 부모님 말씀에 이유 없이 반발심이 생기고 화가 나기도 합니다. 하지만 감정 표현이 아직 미숙하다 보니 이런 불만을 어떻게 표현하고 어떻게 해결해야 할지 방법을 알지 못합니다. 그래서 부정적인 말과 행동으로 감정을 분출하게 되고, 부모님은 이를 도전으로 받아들여 결국 다툼으로 번지게 됩니다. 자녀는 자신이 신체가 자란 만큼 성숙해졌다고 믿고 있지만, 부모님이 보기에는 덩치만 큰 아기 같을 뿐입니다. 이렇듯 서로의 생각이 다르다 보니 사소한 갈등도 해결점을 찾기 어려워지는 것입니다.

가족간의 대화가 갈등을 해결하는 열쇠예요. 상대방의 입장에서 생각해 보는 습관, 내 말을 상대방에게 정확히 전달하고자 하는 노력, 상대방의 말을 끝까지 들어 주는 여유와 이해심을 기른다면 대화로 해결하지 못할 문제는 없을 거예요.

마찰이란 하루아침에 만들어지는 것이 아니라 사소한 불만들이 차곡차곡 쌓이다가 어느 순간 폭발하는 거예요. 평소 자신의 마음을 표현하는 연습을 꾸준히 하여 감정이 쌓이지 않도록 하세요.

# 제2장
# 이성 친구

> 이성을 통해
> 한층 더 성숙된 나를 찾다

# 이성 친구와 어울리기

## 1. 이성 친구가 불편한 이유

대화책 38-39쪽

어렸을 때 우리는 동네 친구들이나 유치원 친구들을 두고 여자, 남자를 구분하여 놀지 않았습니다. 수진이는 수진이일 뿐이고, 우석이는 우석이일 뿐이었습니다. 남녀 구분 없이 그저 '친구'일 뿐이었습니다. 그러다가 차츰 이성의 존재와 차이를 알게 되면서 예쁘고 멋져 보이고 싶다는 생각이 들게 됩니다. 그러나 한편으로는 문득 그 시선에 불편을 느끼고, 나와 다른 점이 부담으로 다가오는 것입니다.

💬 **아빠 생각**

사람은 태어날 때 남성 호르몬과 여성 호르몬이 함께 분비됩니다. 그러나 성인이 되어 가면서 차츰 남자는 남성 호르몬이, 여자는 여성 호르몬이 더 많아집니다. 이 호르몬의 영향으로 보편적인 남녀 성향이 나뉘게 되는데, 남녀 성향이란 내가 가지고 있는 색깔(기질)일 뿐 사회와 문화를 통해 남녀의 모습을 배우게 됩니다. 호르몬은 모든 사람에게 동일하게 영향을 미치지는 않습니다. 예를 들어, 남자이지만 보통의 남자들보다 여성 호르몬이 더 많이 나오면 여성적인 태도를 보이는 남자가 됩니다. 이 경우 주변 사람들은 "너는 남자인데 꼭 여자 같다."라고 불편함을 표현하기도 합니다. 이 말을 들은 여성적 태도의 남자는 자신의 모습이 이상하다고 생각해 상처를 받고 괴로워합니다.

남녀를 호르몬이나 태도로 구분하는 것은 옳지 않아요. 나이를 먹어 중년이 되면 호르몬 분비량이 달라지면서 남녀의 성향 차이도 차츰 줄어들어요. 예를 들어, 씩씩하고 무감하던 아빠가 나이가 들면 말이 많아지고, 드라마를 보면서 감상적이 되어 눈물을 흘리기도 하는 것은 바로 이런 이유 때문이에요.

평소 조용하던 엄마가 나이가 들면 씩씩하고 당당하게 보이는 것도 호르몬의 영향이 커요. 남자다운 것, 여자다운 것은 정해진 잣대로 구분하여 판단할 것이 아니라 개인적인 성향으로 인정해 주어야 해요.

## Q 동성 친구보다 이성 친구와 더 친하면 이상한 건가요?

대화책 40-41쪽

꼭 동성끼리 더 친해야 하는 것은 아닙니다. 동성이든 이성이든 나와 잘 맞고 대화가 통하는 상대방과 친해지는 건 매우 자연스러운 일입니다. 초등학생 때 성향의 차이로 많은 학생들이 이성과 거리를 두지만, 몇몇 학생들은 여전히 이성과 잘 어울립니다. 그러면 동성 친구들은 이성과 잘 어울리는 그 친구를 이유 없이 괴롭히거나 놀립니다. "○○랑 ○○는 사귄대요!", "네가 여자(혹은 남자)냐? 쟤들이랑 놀지 마. 이상해!"라고 말하거나 혹은 여러 가지 짓궂은 낙서로 놀립니다. 그러나 친구를 놀리는 그 아이들의 마음속을 들여다보면 자신도 이성 친구들과 친하게 지내고 싶은 바람이 숨겨져 있습니다. 단지 그 방법을 모르기 때문에 미움과 질투로 관심을 표출시키는 것입니다.

## 2. 관심 표현하기

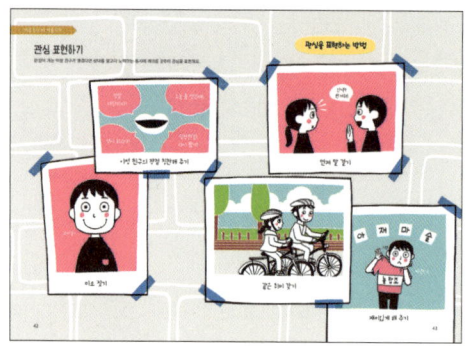

대화책 42-43쪽

관심이 가는 이성 친구가 있다면 먼저 상대방을 알고자 노력해야 합니다. 친해지고 싶다면 관심사나 취미, 행동, 말투 등을 잘 살펴야 합니다. 그러나 관심의 표현을 일방적으로 주위에 알리거나 자랑하는 것은 상대방의 마음을 얻기 전에는 위험한 행동입니다. 관심의 표현은 둘만 있을 때 예의를 갖추어 과장되지 않게 표현하는 것이 좋습니다.

● 관심을 표현하는 방법

① 이성 친구의 장점 칭찬해 주기(과장하지 않고 솔직하게)

② 미소 짓기

③ 먼저 말 걸기

③ 같은 취미 갖기

④ 재미있게 해 주기(유머)

유머 감각은 이성 친구를 사귈 때 큰 도움이 돼요. 웃음은 엔도르핀처럼 사람들을 활기차고 건강하게 하는 물질 분비를 증가시키거든요. 많이 웃는 사람은 사람들과 더 좋은 관계를 맺을 수 있답니다.

지나친 관심 표현은 오히려 역효과를 부를 수도 있어요. 상대방이 집착으로 느끼지 않도록 조금씩 가까워지고 서서히 친해지도록 하는 것이 좋아요.

## 3. 배려하고 존중하기

대화책 44-45쪽

호감을 얻은 뒤에는 친밀감이 느껴져서 좀 더 편한 감정 표현과 행동이 나오게 됩니다. 하지만 이런 행동들이 자칫 오해를 불러일으킬 수도 있으므로, 무심코 한 자신의 말이나 행동이 혹시 이성 친구에게 부담을 주지는 않을지 생각해 보아야 합니다. 상대방을 배려하고 존중하는 마음 없이는 친구 관계가 오래 유지될 수 없습니다.

● 배려하고 존중하는 방법
　① 청결한 몸 상태 유지하기(입 냄새, 땀 냄새 등)
　② 예의 바른 행동과 말투 사용하기
　③ 약속 지키기(신뢰감 주기)

배려와 존중은 이성 친구뿐 아니라 동성 친구와의 사이에서도 꼭 필요해요. 나아가 모든 인간 관계에서 매우 중요한 필수 항목이지요.

내가 이성 친구에게 바라는 말투와 행동이 무엇인지 생각해 보고, 상대방에게 그대로 실천하면 돼요.

## 4. 한계선 지키기

대화책 46-47쪽

시간이 지나 이성 친구와 가까운 사이가 되면 TV에서 본 상황이나 어른들의 행동을 따라 해 보고 싶은 마음이 생깁니다. 그러나 청소년기는 어른이 되어 가는 과정으로서 책임감을 배우는 시기입니다. 따라서 학생으로서 넘지 말아야 할 선을 지키면서 행동을 조심해야 합니다.

● 주의해야 할 것들

① 키스
② 허락 없이 껴안거나 만지는 행동
③ 늦은 시간의 만남
④ 닫힌 공간에 둘만 있는 상황

충동에 떠밀려 한 행동이 더 좋은 사이로 발전할 수 있는 관계를 망치기도 합니다. 좋아하는 이성 친구에 대해 호기심을 느끼는 것은 죄가 아니지만, 이성적인 판단 없이 충동적으로 그 호기심을 채우려고 들면 결국 후회할 일이 생긴다는 것을 잊지 말아야 해요.

지켜야 할 것들을 지키면서 책임감 있게 발전시켜 가는 관계야말로 돈독하며 오래간답니다.

## 5. 오해와 상처 없이 헤어지기

대화책 48-49쪽

이성 친구와의 교제는 호기심과 관심에서 시작되어 상대방을 알아 가는 과정으로, 서로 몰랐던 부분도 알게 되고 실망스러운 부분도 발견합니다. 그러면 만남이 즐겁지 않고, 슬픔과 부담이 쌓여 결별을 맞이합니다. 이때 만나는 과정 못지않게 헤어지는 과정도 중요합니다. 헤어질 때는 서로 오해하거나 상처를 주고받은 상태라 상대방을 배려하기가 쉽지는 않을 것입니다. 하지만 일방적인 이별 통보보다는 자신의 마음을 솔직히 털어놓고 오해를 풀어 아름답게 마무리 지어야 합니다. 그 과정에서 오해가 풀리면 더욱 단단한 관계가 될 수도 있습니다.

💬 **아빠 생각**

나도 청소년기에 이성 친구가 생기자 즐겁고 행복했습니다. 그러나 시간이 지날수록 이성 친구의 사소한 행동들이 단점으로 보여 결국 헤어지게 되었습니다. 이렇게 몇 번의 만남과 헤어짐을 반복하다 보니 이성에 대한 불신은 커지고, 이별의 상처가 싫어 이성 친구들을 멀리하게 되었습니다. 어른이 되어 생각해 보니 그때는 아직 어려서 상대방보다 나 자신을 사랑하는 마음이 더 컸다는 것을 알게 되었습니다.

 이성 친구 자체보다 이성을 사랑하는 자기 자신의 모습에 만족스러워하는 경우도 있어요. 이 경우 상대방이 나에게 맞춰 주지 않으면 쉽게 화가 나고 관계가 악화되어 결국 헤어지게 되지요.

나는 과연 이성 친구를 사랑하는 것인지, 혹은 이성 친구를 사귀는 나 자신의 모습을 사랑하는 것인지 한 번쯤 생각해 보세요.

# 이성 친구를 통해 **얻는 것**과 **잃는 것**

## 1. 얻는 것

대화책 50-51쪽

이성 친구를 사귀다 보면 자신과 다른 점을 발견하게 됩니다. 이때 자신과 다름을 받아들이지 못하고 갈등과 다툼 끝에 헤어지기도 하고, 혹은 서툴더라도 상대방을 이해하려는 노력을 기울이기도 합니다. 후자의 경우 대화를 통해 상대방과의 갈등을 극복하는 과정에서 스스로 문제 해결 방법을 터득하게 되고, 어떻게 해야 좋은 관계를 유지할 수 있는지 배우게 됩니다. 이러한 경험이 쌓여 원만한 인간관계의 초석을 이룹니다.

아무리 친한 친구라도 자신의 생각이나 행동과 항상 일치할 수는 없어요. 나와 다름을 인정할 줄 아는 사람이 성숙한 사람이며, 누구나 이런 사람과 친해지고 싶어 한답니다.

단 한 번의 다툼도 없이 친구 관계를 이어 나가기란 사실 어려워요. 중요한 건, 다툼이 생겼을 때 현명한 방법으로 해결하는 거예요.

## 2. 잃는 것

대화책 52-53쪽

이성 친구와의 만남에 집중하다 보면 학업에 소홀해질 수 있습니다. 이성 친구로 인해 학교 안에서 편견과 놀림을 당할 수도 있습니다. 청소년기는 다양하고 많은 친구들을 사귀어야 할 때인데, 이성 친구에게만 집중하느라 친구의 폭이 좁아질 수도 있습니다. 뿐만 아니라 싸움이나 다툼 끝에 이성 친구와 헤어지게 될 경우 나쁜 기억이 상처로 남을 수 있습니다.

남학생에게 이성 친구와 헤어진 이유를 물으면, 여자 친구가 자기만 신경 써 달라고 해서 답답하고 재미없다는 대답이 가장 많아요. 배려심은 인간관계에서 매우 중요해요. 또한 배려심은 남자가 여자에게 베풀어야 할 일방적인 관심과 애정이 아니라 양쪽 모두에게 필요하답니다.

여학생은 이성 친구가 자신의 마음을 이해해 주지 않고 동성 친구들과 노는 것에만 신경 쓸 때 헤어질 결심을 하게 된다고 해요. 자신에게 관심이 없다고 느껴지는 이성 친구로부터 마음이 떠나는 것이지요.

# 3. 주의해야 할 것

대화책 54-55쪽

청소년이 되면 신체는 성인에 가까워지고, 이성 친구와 함께 있다 보면 스킨십도 하게 됩니다. 이때 충동적으로 성관계를 하면 감당하기 어려운 책임과 문제들이 생길 수 있습니다. 예를 들어, 만일 임신이라도 하게 되면 소문이 퍼져 학교생활이 어려워집니다. 서로 책임져야 할 상황 앞에 서면 두 사람 모두 두려움을 느껴 도망치고 싶은 심정이 되고, 해결 방법은 쉽게 찾을 수 없습니다. 무엇보다 가장 견디기 힘든 것은 친구들과 부모님을 비롯한 주변의 시선일 것입니다.

### 💬 아빠 생각

사춘기가 되면 이성에 대한 호기심이 많아지고, 기회가 된다면 사귀어 보고 싶다는 생각이 듭니다. 그러나 청소년의 이성 교제에서 주의해야 할 점은 책임질 수 있는 선을 넘지 말아야 한다는 것입니다. 성 상담 전문가로서 많은 학생들과 상담을 하다 보면 공통적으로 듣는 이야기가 있습니다. 대부분 미리 계획하거나 준비되지 않은 상태에서 갑자기 분위기에 휩쓸려 성관계를 갖고 임신이 된 다음에야 뒤늦게 후회한다는 것입니다. 이성 친구를 사귀는 것은 분명 좋은 경험이지만, 지켜야 할 선을 넘지 않도록 주의하는 것이 정말 중요합니다.

둘만 있는 공간에서는 유혹과 충동을 이기기 쉽지 않아 실수가 발생하는 일이 많아요. 누구도 원하지 않는 불행을 막기 위해서라도 이러한 상황은 피해야 해요.

나는 괜찮다고, 우리에게는 아무 문제도 생기지 않을 거라고 자신하는 건 정말 어리석은 생각이에요. 위험한 상황을 막는 길은 결국 예방 교육이에요. 그래서 청소년 성교육 때 성관계의 의미를 배우고 피임 교육도 받는 것이랍니다.

# 남자다움과 여자다움

## 1. 사회의 고정 관념과 성평등

대화책 56-57쪽

'남자답다' 혹은 '여자답다'라는 말은 사회가 만들어 낸 표현입니다. 사람은 기질과 성향의 차이를 가지고 태어나며, 남자는 보편적으로 충동적이고 모험적인 것으로 알려져 있습니다. 또 여자는 관계적이고 공감적이라고들 합니다. 그러나 이것은 보편적인 것일 뿐 모든 사람이 다 똑같지는 않습니다. 사람들이 모여 사회를 이루다 보니 규칙이 필요했고, 규칙은 질서를 만들게 되었습니다. 이에 따라 남자와 여자의 모습도 규정되었습니다. 이런 규칙들은 오랜 시간에 걸쳐 고정 관념이 되었고, 남자는 이렇고 여자는 저렇다는 생각이 자리 잡게 된 것입니다. 물론 규칙은 혼돈 속에서 질서를 찾게 해 주지만, 그 과정에서 차별과 편견도 만들어집니다.

💬 **아빠 생각**

'성평등'이란 성에 따른 차별 없이 자신의 능력에 따라 동등한 기회와 권리를 누리는 것을 말합니다. 여기에는 남녀의 성(性)을 비교하자는 것이 아니라 나 자신이 어떤 사람인지 생각해 보자는 의미가 담겨 있습니다. 나는 과연 어떤 사람인지, 무엇을 좋아하는지, 내가 정말 하고 싶은 것은 무엇인지를 남자와 여자라는 고정 관념을 버리고 찾아보자는 것입니다. 그리고 그 생각을 어떤 편견이 가로막고 있다면 포기하지 말고 도전해서 이루어 내야 합니다. 그것이 곧 성평등 사회로 가는 길입니다.

오랫동안 당연시되어 왔던 성차별을 바로잡고자 하는 의식이 사람들의 호응을 얻으면서 점차 나아지고는 있지만, 아직도 양성평등과 남녀평등이 지켜지지 않는 분야도 많아요.

여자는 치마를 즐겨 입고 아기를 좋아하고 머리카락이 길어야 하고, 남자는 말이 없고 씩씩하며 울지 않아야 한다는 고정 관념은 이제 옛말이에요. 이름난 남자 요리사, 세계를 주름잡는 여자 태권도 선수가 전혀 낯설지 않은 세상이 되었지만, 성평등을 위한 의식 변화와 그에 따른 노력은 계속되어야 해요.

## 2. 남자다움과 여자다움

'남자다움'과 '여자다움'이란 정해져 있는 것은 아닙니다. 사회·문화가 만들어지고 발전해 오면서 만들어진 보편적인 바람일 뿐입니다. 그리고 그 보편적 개념들이 학습을 통해 세대로 이어지면서 고정 관념이 되었습니다. 결국 '남자다움'과 '여자다움'이란 사회가 원하는 바를 틀에 맞추고자 하는 의식입니다. 단, 호르몬 변화에 따른 성향 차이는 존재하며, 그 무리들이 일반화되어 '남자다움'과 '여자다움'을 대표한다고 볼 수 있습니다.

 **성장하면서 남녀의 놀이 방법이 달라지는 이유는 무엇일까요?**

대화책 58-59쪽

　　남녀 성향의 차이가 놀이 방법에도 변화를 가져오기 때문입니다. 남자아이는 철봉 위로 올라가 뛰어내리면서 그 아슬아슬함을 즐깁니다. 하지만 여자아이에게는 이런 놀이가 위험하게 느껴져 같이 놀기 꺼려집니다. 남자아이들은 여자아이들이 피하는 모습이 이해가 안 되고, 재미있는 놀이를 함께하지 않으려 해 답답할 뿐입니다. 만일 자녀에게 동성과 이성 친구가 고루 있다면 그건 자녀가 성별을 떠나 상대방을 이해하고 배려하는 마음이 크기 때문일 것입니다.

💬 **아빠 생각**

　　지금은 사이가 멀어져 어색해진 이성 친구들도 생각해 보면 어린이집이나 유치원 때는 잘 어울리고 재미있게 놀았을 것입니다. 그런데 초등학생이 되어 생각하는 것과 놀이 방법들이 달라지면서 차츰 이성 친구들이 부담스러워져 피하게 되었을 것입니다. 그에 반해 동성 친구들과의 놀이는 자연스럽고 마음이 편해 동성 친구들과의 교류는 꾸준히 이어져 왔을 것입니다. 그러나 이런 성향의 차이가 꼭 문제가 되는 것은 아닙니다. 사춘기 청소년이 되면 이런 '다름' 때문에 자연스럽게 이성에 대한 호기심도 생기고 관심도 갖게 되기 때문입니다.

 이성의 성향이 자신과 다름을 이해하는 것은 생각처럼 어려운 일이 아니에요. 같은 부모에게서 태어난 형제자매도 성격이나 취향이 서로 다르지만 잘 어울리는 것처럼 이성 친구의 취향이 나와 다르다는 것을 받아들이면 된답니다.

나에게 흥미로운 일이 이성 친구에게는 지루할 수 있고, 이성 친구에게 재미있는 일이 나에게는 위험하게 느껴질 수도 있지요. 생각의 차이를 인정하는 것도 배려의 한 방법이에요.

## 3. 양성적인 사람

대화책 60-61쪽

우리가 알고 있는 남녀의 성향은 어디까지나 보편적인 것에서 비롯된 의견일 뿐입니다. 사람들 중에는 남성적인 여자도 있고 여성적인 남자도 있으며, 또 두 가지 성향을 모두 가진 사람도 있습니다. 이런 사람을 양성적인 사람이라고 합니다. 성향은 그저 한쪽으로 기운 성질이나 버릇일 뿐입니다. 어떤 성향이든 옳고 그름의 잣대로 잴 수 없으며, 무엇이 좋고 무엇이 나쁘다고 구분 지을 수도 없습니다.

### 💬 아빠 생각

예전에는 양성적인 성향에 대해 선입견에 얽매여 좋지 않게 보는 시선들이 많았습니다. 그래서 양성적인 친구들은 따돌림을 받기도 했습니다. 그러나 요즘은 직업이나 옷차림 등 성별에 따른 고정 관념이 많이 사라져 양성적인 사람이 오히려 남녀 모두를 이해하고 소통하기 좋은 성향이라고 말하기도 합니다.

오히려 양성적인 모습이나 태도를 배우려고 하는 사람들도 있어요. 대부분이 오른손잡이거나 왼손잡이인 세상에서 양손을 자유롭게 쓰는 양손잡이가 사람들의 부러움을 사는 것과 같아요.

여자답거나 남자다워야 한다는 생각은 고정 관념이에요.

## 4. 성 정체성 혼란

대화책 62-63쪽

사람들은 자신이 남자인지 여자인지 구분하고 싶을 때, 부모님과 친구 또는 주변 사람들의 모습과 태도를 비교해 보면서 자신의 정체성을 찾습니다. 그런데 주변에 양성애적 또는 동성애적인 친구가 있으면 자신의 성에 대한 구분이 명확해지지 않아 불안감에 그 친구를 괴롭히거나 관심을 갖습니다. 하지만 이는 청소년기의 단순한 끌림이나 막연한 동경에서 비롯된 것일 수 있으며, 성장에 따라 변화되기도 합니다. 성 정체성에 대해서는 그 누구도 비난할 이유가 없습니다.

 '양성적인 성향'과 '양성애'는 달라요. 양성애란 남자와 여자 모두에게 성적인 관심과 매력을 느끼는 것을 말해요. 그리고 동성애란 남자가 남자에게, 여자가 여자에게 성적인 관심과 매력을 느끼는 것을 말하지요.

나에게 피해를 주지 않는데도 불구하고 양성애적이거나 동성애적인 성향을 보인다는 이유로 친구를 괴롭혀서는 안 돼요.

# 제3장
## 신체

> 우리 아이의
> 놀라운 신체 변화와 성장

# 2차 성징

## 1. 신체의 변화

대화책 66-67쪽

2차 성징이 나타나면 체형과 목소리가 변하고, 체모(몸털)가 나며, 여드름이 생깁니다. 여자는 몸에 곡선이 생기며, 남자는 골격의 변화가 두드러지고 성대에 변화가 일어나 어른처럼 굵고 낮은 톤으로 바뀝니다. 이를 변성기라 합니다. 하지만 모든 남자에게 다 변성기가 오는 것은 아닙니다. 남녀 모두 이 무렵 겨드랑이나 음경·음순 주변에 털(음모)이 나기 시작합니다. 털은 외부 자극이나 충격으로부터 보호해 주는 역할도 하고, 살이 맞닿아 비벼지는 마찰을 줄여 주는 역할도 합니다. 뿐만 아니라 체모는 이성이 좋아하는 성페로몬을 발산하는데, 사춘기 때는 땀샘의 발달로 인해 이 성페로몬 냄새가 성인보다 더한 경우도 있습니다. 이 밖에 남녀 모두 기름진 음식과 청결 관리 부족으로 여드름이 생기기도 합니다.

● 신체 변화

① 체형: 남자는 근육이 발달하고, 여자는 가슴이 커지며 몸에 곡선이 생긴다.

② 목소리: 남자는 목젖이 나오고, 목소리가 굵게 변한다.

③ 털: 음경·음순이 커지면서 체모가 나고, 성페로몬을 발산한다.

④ 여드름: 피지 분비량이 많아져 얼굴과 등에 여드름이 생긴다.

● 여드름 짜는 방법

① 손을 비누로 깨끗이 씻는다.

② 뜨거운 물에 적신 수건을 얼굴에 대서 모공을 넓힌다.

③ 손가락 대신 면봉 두 개를 맞대어 여드름을 짠다.

④ 찬물로 세수하여 모공을 좁혀 준다.

⑤ 여드름용 약을 바른다.

1차 성징은 남자와 여자를 구분할 수 있는 생식기의 차이를 말해요. 즉, 태어날 때부터 가지고 있는 성기의 형태와 생리를 말하는 것이지요. 이에 반해 2차 성징은 신체 발달과 함께 나타나는 남자, 여자의 성적 특징을 말해요.

사춘기 때는 피지 분비가 활발해져요. 여드름, 등드름이 없는 깨끗한 피부를 원한다면 피지가 모공을 막지 않도록 아침저녁으로 깨끗이 씻는 것은 기본이에요. 여드름을 잘못 짜면 흉터가 남을 수 있으니 필요시 꼭 올바른 방법으로 여드름을 짜도록 하세요.

tip 성페로몬이 뭐예요?

페로몬이란 같은 종의 동물끼리 의사소통에 사용하는 물질을 말해요. 위험을 알리는 경보 페로몬, 길잡이 페로몬, 집합 페로몬, 성페로몬 등이 있지요. 이 중 성페로몬은 사람이나 동물(특히 곤충)이 이성을 꾀기 위해 배출하는 화학적 신호 물질을 말해요.

제3장 신체

# 가슴의 역할과 기능

## 1. 여자의 가슴이 발달하는 이유

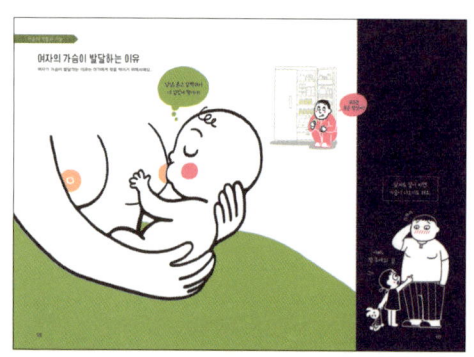

대화책 68-69쪽

여자가 가슴이 발달하는 이유는 아기를 낳아 기를 때 모유를 주기 위해서입니다. 발달된 여자의 젖가슴 속에는 모유를 만드는 기관인 젖샘이 들어 있으며, 젖가슴의 지방 조직은 이 젖샘을 보호하는 역할을 합니다. 그러나 성장과 함께 가슴이 발달했다고 하여 무조건 모유가 나오는 것은 아닙니다. 성인이 된 여자라도 임신을 하고 아기를 낳아야만 모유가 나옵니다.

 모유는 어떤 맛인가요?

모유는 엄마의 젖가슴에서 나오기 때문에 엄마가 어떤 음식을 먹었는지에 따라 모유의 맛도 조금씩 달라집니다. 보통은 약간 단맛이 느껴지는 자극적이지 않은 맛이라고 알려져 있습니다. 때문에 자극적인 단맛과 짠맛에 길들여진 어른의 입맛에는 모유가 밍밍하게 느껴질 것입니다. 하지만 이 담백한 맛이 아기에게는 최고의 음식이 됩니다.

### 💬 아빠 생각

　내 아내는 모유가 아기의 면역력에 도움이 된다고 하여 오랫동안 모유를 먹였습니다. 한동안은 모유가 너무 많이 나와서 남아도는 모유를 유축기(젖을 짜내는 장치)로 짜서 냉동 보관했다가 아내가 잘 때나 아플 때 데워서 아기에게 먹이곤 했습니다. 그러다가 어느 날 문득 그 맛이 궁금해서 냉장고에 보관되어 있던 모유를 조금 먹어 봤는데, 약간 비린 듯하면서 아주 묽은 두유 맛과 흡사했습니다. 그 모유를 맛있게 먹는 딸아이를 보며 신기하다는 생각도 들었습니다.

모유는 아기에게 가장 이상적인 음식으로, 감염 및 충치 발생률을 낮추어 줘요. 뿐만 아니라 모유 수유는 인지 능력 발달, 정서적 안정, 사회성 향상에도 도움이 돼요.

출산 후 처음 며칠 동안 나오는 모유를 '초유'라고 해요. 초유는 색깔이 진하고 단백질과 무기질이 풍부하며, 탄수화물과 지방이 적어요. 또 면역 성분도 많기 때문에 엄마들은 번거롭더라도 아기에게 초유를 먹이기 위해 노력한답니다.

## 2. 가슴의 발달 과정

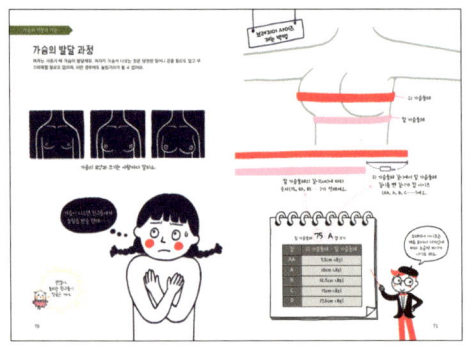

대화책 70-71쪽

여자는 사춘기를 맞으면 가슴이 서서히 발달합니다. 그러나 사춘기를 맞기 전에 가슴이 나오거나 멍울(몸 안의 조직에 생기는 둥글둥글한 덩이)이 잡히면 '성조숙증'을 의심해 볼 필요가 있으므로 병원에 가 보는 것이 좋습니다. 성조숙증이란 사춘기 발현의 나이인 9세가 되기 전에 성적 발달이 일어나는 증상을 말합니다. 여학생들이 가슴이 나오는 것을 꺼리고 걱정하는 이유는 대부분 친구들에게 놀림을 당할까 염려해서입니다. 남자의 경우 고환의 크기가 지나치게 빨리 커지면 성조숙증을 의심해 볼 필요가 있습니다.

💬 **아빠 생각**

여자가 가슴이 나오는 것은 당연한 일입니다. 그러나 자녀가 이 문제로 친구를 놀린다면, 혹은 친구에게 놀림을 당한다면 그건 갑작스런 친구의 신체 변화에 당황하거나 놀라서 그런 것일 수도 있습니다. 이때는 놀리지 말라고 자녀를 지도해야 합니다. 그래도 놀림이 계속된다면 성폭력이나 성추행 교육도 검토해 볼 필요가 있습니다. 반대로 놀림을 당하는 입장이라면 위로와 함께 가슴에 대한 의미를 부모님과 함께 이야기해야 합니다. 또한 선생님과 전문가에게 놀리는 친구들의 교육을 요청해야 합니다.

#  여자는 브래지어를 꼭 착용해야 하나요?

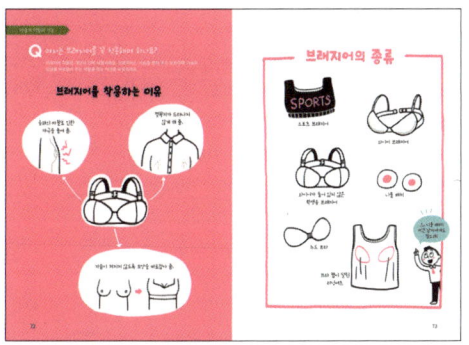

대화책 72-73쪽

사춘기를 맞은 여자는 가슴이 커지면서 피부도 함께 늘어나 가슴의 감각이 많이 예민해집니다. 그렇다 보니 옷에 닿으면 찌릿하거나 따끔거리는 느낌이 들기도 합니다. 그래서 브래지어를 착용하는 것입니다. 또 가슴이 커지면서 젖꼭지도 두드러지는데, 이때 돌출된 젖꼭지가 윗옷에 드러나 보이지 않도록 하기 위한 목적도 있습니다. 뿐만 아니라 가슴이 처지지 않도록 바로잡아 주는 역할도 합니다. 하지만 반드시 브래지어를 착용해야 하는 것은 아닙니다. 브래지어 착용은 옷처럼 개인의 선택 사항입니다.

 브래지어는 가슴을 감싸는 여성용 속옷이에요. 가슴을 받쳐 주고 보호하며, 가슴이 흔들리지 않도록 도와주지요.

브래지어의 종류는 여러 가지예요. 운동할 때 착용하는 스포츠 브라, 젖꼭지에 붙이는 니플 패치, 브래지어 모양을 붙여서 만든 브라 톱, 끈이 없는 누드 브라, 가슴 아랫부분에 철사 심을 넣어 가슴을 받쳐 주는 와이어 브라 등이 있어요.

제3장 신체  53

## 3. 젖꼭지의 존재 이유

대화책 74-75쪽

엄마의 몸 안에서 탯줄을 통해 영양분을 공급받던 태아는 출산 후부터는 엄마의 젖을 통해 영양분을 공급받습니다. 따라서 여자의 가슴과 젖꼭지는 아기에게 매우 중요한 역할을 합니다. 하지만 남자의 젖꼭지는 특별한 기능과 역할이 없습니다.

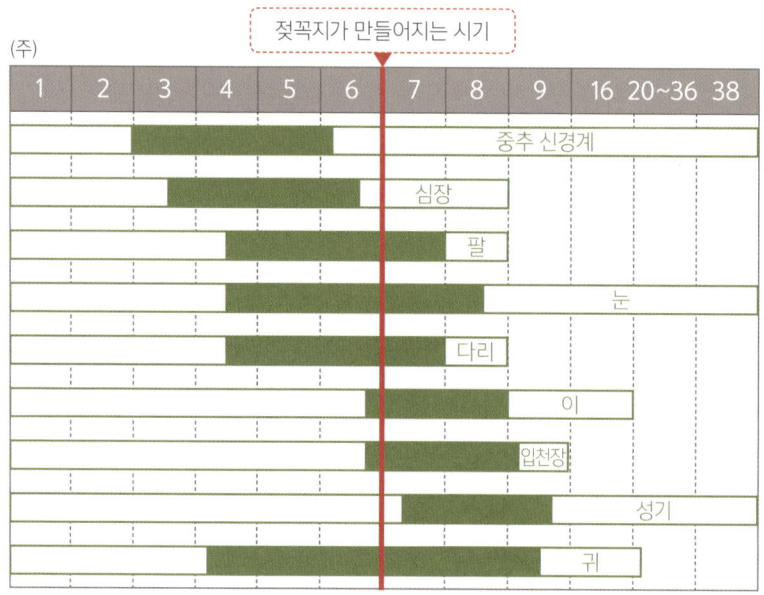

▲ 태아의 발달 과정

 왜 남자에게도 젖꼭지가 있을까요?

남녀의 구분은 정자와 난자가 만나 생명이 만들어질 때 이미 정해집니다. 그러나 이때 신체의 외관상 형태는 남녀 구분이 거의 없으며, 약 7주가 지나면서부터 성기 모양이 달라지기 시작합니다. 그런데 젖

꼭지는 6~7주 이전에 만들어지기 때문에 남녀의 성이 나뉜 뒤에도 남자의 젖꼭지는 없어지지 않고 남아 있는 것이라고 합니다. 이에 대해 진화 생물학자들은 젖꼭지를 없애는 데 에너지를 쓰는 것보다는 그냥 내버려 두어도 아무 문제가 없으므로 퇴화되지 않은 것이라고 말하기도 합니다.

### 💬 아빠 생각

아기는 엄마에게 안겨 젖을 먹을 때 가장 편안해 보입니다. 칭얼거리던 아기에게 공갈 젖꼭지를 물려 주면 안정을 찾는 모습도 쉽게 볼 수 있습니다. 그런 의미에서, 공갈 젖꼭지가 없었던 먼 옛날에는 엄마가 아프거나 아기에게 젖을 물릴 수 없는 상황일 때 아빠의 젖꼭지라도 필요하지 않았을까 하는 생각이 들었습니다. 실제로 내 딸이 아기였을 때, 우는 딸에게 내 젖꼭지를 물렸더니 잠시나마 조용해졌던 경험도 있습니다. 엉뚱한 추측일지 모르나 이런 이유 때문에 아직까지 남자의 젖꼭지가 퇴화해 사라지지 않은 건 아닐까 하는 생각을 해 보았습니다.

어떤 과학자들은 남자의 젖꼭지가 성감대의 역할을 하기 위해 존재한다고 주장하기도 해요. 물론 모든 남자들에게 해당되는 건 아니에요. 경우에 따라서는 젖꼭지를 만지면 우울해진다는 남자들도 있다고 하니까요.

성감대란 자극을 받으면 성적으로 흥분을 일으키는 몸의 부위를 말해요. 남자와 여자의 성감대는 대부분 비슷하지만, 개인에 따라 다를 수도 있어요.

# 우리 몸의 성기

## 1. 성기의 모양과 기능

자신의 성기를 관찰하는 것은 부끄러운 일이 아닙니다. 자신의 몸을 잘 알아야 하듯 자신의 성기에 대해서도 당연히 알고 있어야 합니다. 성기 외에도 인간은 아기를 낳는 곳과 대소변을 배설하는 곳이 구분되어 있는데, 의외로 이 사실을 모르는 사람들이 많은 듯합니다. 여자의 경우 오줌이 나오는 요도구와 아기 또는 생리혈이 나오는 질구(질 입구), 대변을 배설하는 항문까지 총 3개의 구멍이 있습니다. 그에 비해 남자는 요도구와 항문 등 총 2개의 구멍이 있습니다.

남자의 성기는 바깥으로 돌출된 형태이고, 여자의 성기는 안으로 감추어져 있는 형태예요. 그래서 여자는 대변을 본 후 휴지로 닦을 때 세균이 질 안으로 들어가지 않도록 질 입구 쪽을 피해 앞에서 뒤쪽을 향해 닦는 것이 좋아요. 남자의 경우에는 오줌을 눈 뒤 성기 끝에 묻어 있는 오줌을 잘 털어 줘야 해요.

남자들은 흔히 오줌이 나오는 곳과 아기가 나오는 곳이 같다고 생각하는데, 그렇지 않답니다. 오줌이 나오는 곳은 요도구, 아기가 나오는 곳은 질 입구예요.

## 2. 성기의 명칭

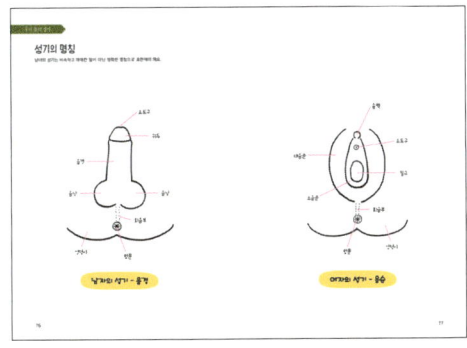
대화책 76-77쪽

남녀의 성기를 부르는 말은 여러 가지입니다. 하지만 '거기', '밑' 같은 애매한 말보다는 정확한 명칭으로 표현해야 합니다. 친구들이 내 이름을 장난스럽지 않게 정확히 불러 주어야 기분이 좋은 것과 같습니다. 귀두, 요도구, 음낭(고환) 등으로 이루어진 남자의 바깥 성기를 통틀어 '음경'이라고 부르고, 질구 양옆을 감싸고 있는 한 쌍의 주름인 대음순, 소음순 등 여자의 바깥 성기를 통틀어 '음순'이라고 부릅니다.

💬 **아빠 생각**

성교육을 하기 위해서는 어쩔 수 없이 성기 명칭을 말하게 됩니다. 사람들은 흔히 남자의 성기는 고추, 자지, 여자의 성기는 조개, 보지 등으로 부릅니다. 그런데 이런 단어들은 욕이나 은어, 음어(암호)로 사용되는 경우가 많기 때문에 부모님과 어른들 앞에서는 성기를 가리키는 말로 쓰기가 불편합니다. 그에 비해 표준말인 음경과 음순은 조금 어색하고 딱딱하게 느껴질지 몰라도 부끄럽거나 저속하게 들리지 않아 성기 명칭으로 불리기에 무리가 없습니다.

성기는 부끄러운 것, 감추어야 하는 것이 아니에요. 그러니 비속어 표현으로 부정적인 이미지로 만들지 않도록 해야 해요. 성기의 각 명칭은 표준말로! 오늘부터 부모님과 자녀가 함께 실천해 보아요.

성기는 소중하고 중요한 것이니 '거기'나 '거시기'처럼 얕잡아 표현하거나 욕 표현으로 사용되지 않도록 주의하도록 해요.

제3장 신체

## 3. 성기의 개인차

대화책 78-79쪽

음경과 음순의 크기와 모양은 사람마다 다릅니다. 그러므로 성기가 크거나 작다고 고민할 필요도 없고, 색깔이 진하거나 흐리다고 걱정할 필요도 없습니다. 하지만 자녀가 자신의 성기에 문제가 있다고 생각해 계속 신경을 쓴다면 병원에 데려가 확인해 보는 것이 좋습니다.

 음낭은 왜 늘었다 줄었다 하나요?

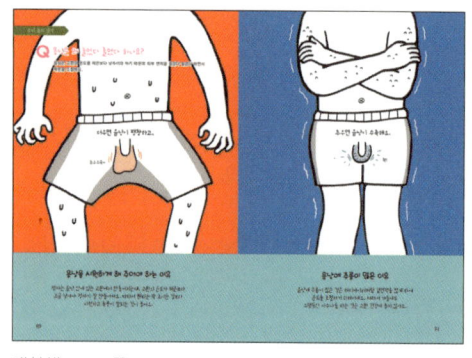

대화책 80-81쪽

남자의 음낭은 더우면 팽창하고, 추우면 수축됩니다. 피부 면적을 늘였다 줄였다 하면서 체온을 조절하는 것입니다. 음낭 안에 있는 고환에서는 정자가 만들어지는데, 고환의 온도가 체온보다 조금 낮아야 건강한 정자가 만들어집니다. 이런 이유로 음경을 시원하고 통풍이 잘 되게 하는 것이 좋습니다. 또한 성기 둘레의 털도 같은 역할을 하므로, 팬티는 꽉 조이는 것보다 바람이 잘 통하는 것이 좋습니다.

💬 아빠 생각

사람들은 음경의 크기를 남자의 상징으로 연결 지어 생각하곤 합니다. 하지만 음경의 크기는 남성성이나 임신과 별 상관이 없습니다. 간혹 성인들 중에 음경 크기를 자랑하는 경우가 있는데, 그건 성교육을 받지 못했던 시절의 잘못된 생각에서 기인한 것입니다. 여자의 가슴 크기도 마찬가지입니다. 가슴이 커야 여자다운 것은 아닙니다. 오히려 가슴이 지나치게 크면 활동이 불편하고 건강에 나쁜 영향을 미치기도 합니다. 결국 여자 가슴과 남자 음경의 크기는 중요한 것이 아닙니다. 만일 자녀가 친구들에게 가슴이나 음경 크기 때문에 놀림을 당한다면 그건 그 친구가 미성숙한 탓임을 이해시켜 주어 마음의 상처로 남지 않도록 다독여 주시기 바랍니다.

거의 모든 남자들이 왼쪽과 오른쪽 고환의 크기가 달라요. 좌우 크기가 달라 비대칭을 이룸으로써 서로 부딪치지 않게 하여 압박이나 접촉으로부터 고환을 보호하는 것이므로 걱정하지 않아도 돼요. 그러나 자녀의 양쪽의 크기 차이가 심하다면 질병일 가능성도 있으니 병원에 데려가서 확인해 보세요.

남자의 정자와는 반대로 여자의 난자는 따뜻하게 유지되어야 하기 때문에 여자의 아랫배는 항상 따뜻하게 해 주어야 좋아요.

## 4. 남자의 포경 수술

대화책 82-83쪽

남자의 성기를 보면 포피가 음경의 끝 부분인 귀두를 덮고 있습니다. '포피'는 귀두를 덮고 있는 피부의 주름을 말하며, '귀두'는 음경의 머리 부분을 말합니다. 이 귀두를 덮고 있는 피부를 일부 잘라 내는 것이 포경 수술입니다. 성기는 몸의 성장과 함께 커집니다. 남자가 오줌을 눌 때면 음경이 발기되는데, 이때 포피가 벗겨지면서 자연스럽게 귀두

제3장 신체 59

가 나옵니다. 만약 발기 때 포피가 잘 벗겨지지 않는다면 포경 수술을 고려해 봐야 합니다. 참고로 유대교도들과 이슬람교도, 아프리카의 여러 종족들은 옛날부터 남자아이가 태어나면 종교적인 이유로 '할례'라고 부르는 포경 수술을 시켜 왔습니다.

● 포경의 종류
  ① 가성 포경: 평소에는 포피가 귀두를 덮고 있지만 손으로 포피를 당기면 귀두가 드러나는 상태로, 수술을 하지 않아도 된다.
  ② 진성 포경: 포피가 귀두를 완전히 감싸고 있어서 손으로 포피를 당겨도 귀두가 조금밖에 드러나지 않으면서 통증이 느껴지는 상태로, 수술이 필요하다.
● 포경 수술의 장단점
  ① 장점: 이물질이나 먼지가 안으로 들어가지 않아 청결을 유지하기 쉽다.
  ② 단점: 보호막인 포피가 없어서 예민하고 상처를 입기 쉽다.

## 가성 포경인데 포피가 잘 안 벗겨져요!

당장 포피가 다 안 벗겨진다고 큰 문제가 되는 것은 아닙니다. 가성 포경이라면 귀두가 나오도록 포피를 벗겨 보는 연습을 해 보는 것이 좋습니다. 그러면 포피가 조금씩 늘어나기도 합니다. 보통 2~3개월 연습하다 보면 대부분 포피가 벗겨집니다.

💬 아빠 생각

우리 부모 세대 남자들은 대부분 포경 수술을 받았습니다. 그때는 성에 대한 지식이 부족했고, 목욕 시설도 충분하지 않아 지금과 같은 청결을 유지하기가 어려웠습니다. 그래서 포경 수술을 권하는 분위기였습니다. 그러나 요즘은 대부분 목욕 시설이 잘되어 있고 겨울에도 온수가 나오기 때문에 가성 포경이라도 음경을 잘 씻는다면 포경 수술을 하지 않아도 됩니다. 아빠와 아들이 함께 목욕을 하다 보면 자연스럽게 포경 수술을 한 아빠의 음경을 보게 됩니다. 이때 아들이 자신과 아빠의 음경을 비교하며 위축되거나, 어른이 되려면 포경 수술을 해야 한다고 생각할 수 있습니다. 따라서 부모님은 성기에 관심을 갖는 자녀에게 음경과 포경 수술에 대한 설명을 해 주는 것이 좋습니다.

> 음경을 씻을 때는 포피 안쪽까지 깨끗이 씻어야 해요. 포피를 살짝 당긴 다음 부드럽게 씻어 주고, 깨끗한 수건으로 가볍게 두드려서 물기를 닦아 주세요.

> 포경 수술은 개인의 선택일 뿐 반드시 해야 하는 것은 아니에요. 자녀 스스로 청결하게 관리하는 것이 어렵다거나 포피의 입구가 좁아서 불편해한다면 자녀와 상의하여 수술 여부를 결정하세요.

## 5. 여자의 자궁

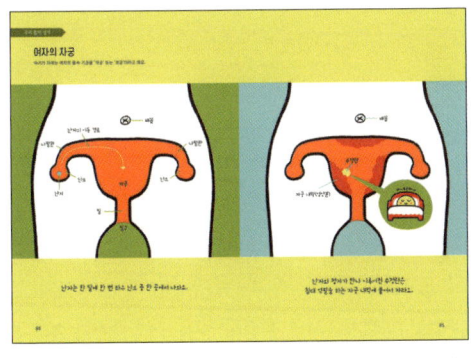
대화책 84~85쪽

여자의 몸은 아기를 낳고 키울 수 있는 특별한 몸입니다. 여자의 몸속, 아기가 자라는 곳을 '자궁'이라고 부릅니다. 난소에서 배란된 난자는 나팔관을 따라 자궁으로 이동하는데, 이때 자궁 안에는 자궁 내막이 형성됩니다. 만약 이때 난자가 자궁에 도달하기 전에 정자와 만나 수정되면 수정란이 되어 자궁 내막에 붙어 자라게 됩니다.

여자의 자궁은 생명이 잉태되어 자라는 경이로운 곳이에요. 따라서 단순히 수정체가 착상되어 자라는 기관으로만 생각할 것이 아니라 소중히 여겨야 해요.

자궁은 보통 주먹 크기인 7.5㎝ 정도인데, 임신하면 약 수십 배까지 늘어난다고 해요. 최근에는 '자궁'을 '포궁'이라고 표현하기도 하는데, 둘 다 같은 뜻으로 쓰인답니다.

> **tip 자궁과 포궁의 의미**
>
> * **자궁**: 여성의 정관 일부가 발달하여 된 것으로, 태아가 착상하여 자라는 기관. '아들의 집'이라는 뜻의 한자 '子宮'으로 표기해요.
>
> * **포궁**: 특정 성별이 아닌, 세포를 품은 집(서울시여성가족재단 '성평등 언어 사전' 수록). '세포의 집'이라는 뜻의 한자 '胞宮'으로 표기해요.

# 생명 탄생을 준비하는 생리

## 1. 생리와 생리통

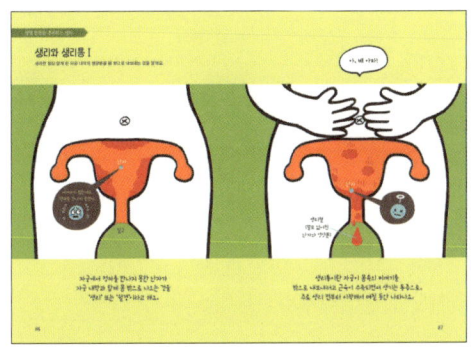

대화책 86-87쪽

대화책 88-89쪽

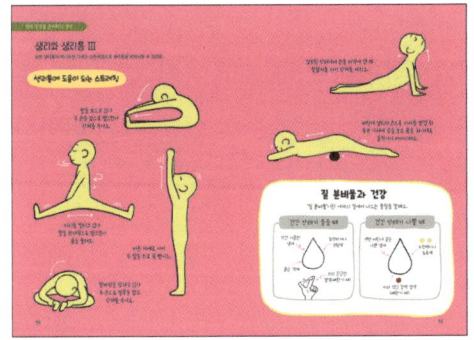

대화책 90-91쪽

생리(월경)란 필요 없게 된 자궁 내막의 영양분을 몸 밖으로 내보내는 것입니다. 자궁에서 정자를 만나지 못한 난자는 수정란을 키우기 위해 준비했으나 쓸모없어진 자궁 내막과 함께 질 입구를 통해 몸 밖으로 나옵니다. 이것을 '생리' 또는 '월경'이라고 합니다. 이번 생리에서 다음 생리 때까지 걸리는 시기를 '월경 주기'라고 하는데, 개인에 따라 차이는 있으나 보통 28~30일 정도 됩니다. 생리를 할 때는 다수가 생리통(월경통)을 경험합니다. 생리통이란 자궁이 몸속의 찌꺼기(자궁 내막)를 밖으로 내보내려고 근육이 수축되면서 생기는 통증으로, 주로 생리 전부터 며칠간 나타납니다. 생리통은 사람마다 아픈 부위나 정도가 다릅니다. 아랫배가 아픈 경우도 있고, 허리에 통증을 느끼기도 합니다. 또 생리통을 전혀 느끼지 못하는 사람도 있지만, 반대로 무척 심한 통증을 호소하는 사람도 있습니다.

여자의 질에서는 생리혈 외에 다른 분비물도 나옵니다. 질 분비물 중 하나인 '냉'은 모든 여성에게 나타나는 정상적인 생리 현상으로서 투명하거나 엷은 크림색이며, '대하' 또는 '냉대하'라고 부르기도 합니다. 배란기에는 날달걀의 흰자처럼 끈끈한 분비물이 나오는데, 건강 상태가 나쁘면 이 분비물에 피가 섞여 갈색의 냉이 나오기도 합니다. 만약 이 상태가 몇 달간 이어진다면 산부인과를 찾아가 상담해 보아야 합니다.'

● 질 분비물과 건강 상태
  ▷ 건강 상태가 좋을 때의 질 분비물
    ① 약간 시큼한 냄새가 난다.
    ② 투명하거나 크림색이다.
    ③ 배란기 때 날달걀의 흰자처럼 끈끈한 점액이 나온다.
  ▷ 건강 상태가 나쁠 때의 질 분비물
    ① 생선 비린내 같은 나쁜 냄새가 난다.
    ② 누런색이나 초록색을 띤다(질염 의심).
    ③ 배란기 때 피와 섞여 갈색의 점액이 나온다.

💬 아빠 생각

상담을 하다 보면 생리를 시작하여 키 성장이 멈출까 봐 걱정하는 청소년이 많습니다. 그러나 생리 때문에 키 성장이 멈추는 것이 아닙니다. 단지 사춘기가 오면 호르몬의 변화에 따라 빠르던 키 성장 속도가 느려질 뿐입니다. 생리가 시작되었더라도 키는 더 자랄 것입니다. 또한 생리를 시작했다고 해서 곧바로 아기를 낳을 수 있는 것은 아닙니다. 아기는 좀 더 성장한 뒤에나 낳을 수 있습니다.

생리통이 심하면 진통제를 먹어 통증을 가라앉히세요. 이때 통증을 빨리 가라앉히기 위해 처음부터 많은 양의 진통제를 먹는 것은 몸에 해로우니 반드시 약사와 상의하여 복용해야 해요.

심하지 않은 통증이라면 아랫배에 따뜻한 팩을 올려 몸을 따뜻하게 하고, 따뜻한 차나 물을 마시면 도움이 돼요. 가벼운 운동이나 산책, 스트레칭도 좋아요.

## 2. 생리의 시작, 초경

대화책 92-93쪽

생리를 처음 시작하는 것을 '초경'이라고 합니다. 초경은 보통 12~15세 사이에 경험하는데, 요즘은 성장 속도가 빨라져서 더 일찍 초경이 찾아오기도 합니다. 초경을 한 후 몇 달 동안은 생리를 하지 않거나, 하더라도 주기가 불규칙할 수도 있습니다. 이것은 난소와 자궁이 아직 성숙하지 않기 때문이며, 보통 1년에서 2년 후면 규칙적인 월경 주기가 생깁니다.

💬 **아빠 생각**

자녀는 초경 때 속옷에 피가 묻어난 것을 보고 많이 놀랄 수 있습니다. 그러나 생리는 몸에 이상이 생긴 것도 아니고 배설물도 아니니 두려워할 필요가 없습니다. 생리의 시작인 초경은 이제 아기를 낳을 수 있는 성인으로 가는 시작점이라고 할 수 있습니다. 따라서 초경은 가족들에게 축하받을 기쁜 일입니다.

# Q  초경 후 한참 지났는데 아직도 월경 주기가 불규칙해요!

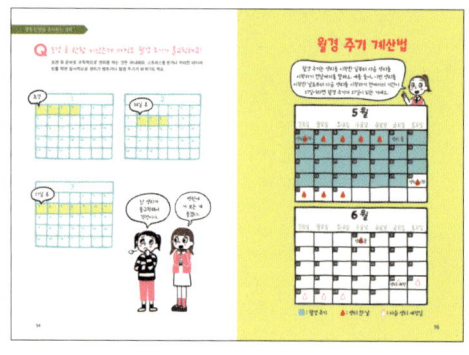

대화책 94-95쪽

초경 후 곧바로 한 달에 한 번씩 규칙적으로 생리를 하는 것은 아닙니다. 한동안은 월경 주기가 길거나 짧을 수 있습니다. 하지만 초경 이후 1년 반이 지나도 다음 생리를 하지 않는다면 건강이 좋지 않다는 신호일 수 있으니 의사 선생님께 진찰을 받아 보는 것이 좋습니다. 스트레스를 많이 받거나 무리한 다이어트를 하면 일시적으로 생리가 멈추거나 월경 주기가 바뀌기도 하니 너무 걱정할 필요는 없습니다.

 생리는 보통 한 달(4주)에 한 번 한다고 알려져 있지만, 사람마다 다르고 또 건강 상태나 스트레스로 인해 늦추어지는 경우도 있어요. 길게는 몇 달씩 늦어지는 경우도 있는데, 이때는 병원을 찾아 월경 주기를 규칙적으로 조절하는 것이 좋아요.

초경이 시작된 후에는 '나만의 월경 주기'를 알아 두는 것이 좋아요. 월경 주기는 생리를 시작한 날부터 다음 생리를 시작하기 전날까지를 말해요. 예를 들어 이번 생리를 시작한 날로부터 다음 생리를 시작하기 전까지의 기간이 27일이라면 월경 주기가 27일이 되는 거예요. 월경 주기를 계산하면 다음 생리가 언제 시작될지 미리 짐작할 수 있어요. 스마트폰의 어플리케이션을 이용하면 더 편리할 거예요.

## 3. 생리 때의 기분 변화

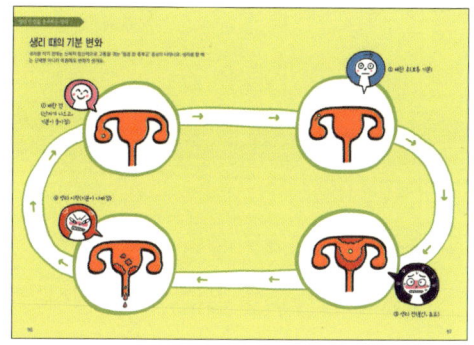
대화책 96-97쪽

생리를 할 때는 신체뿐 아니라 마음에도 변화가 생깁니다. 생리를 시작하기 직전에는 작은 일에도 쉽게 짜증이 나고, 식욕이 증가하거나 단것이 당기기도 합니다. 이것을 '월경 전 증후군'이라고 합니다. 월경 전 증후군 역시 생리통처럼 사람에 따라 증상과 정도에 차이가 있습니다.

💬 **아빠 생각**

사람마다 차이는 있겠지만 생리를 한다는 것은 기분 좋은 일은 아닐 것입니다. 몸은 불편하고 신경은 예민해지기 쉽습니다. 그래서 여자들이 생리를 할 때는 다른 날보다 짜증이 심하다고 여겨지기도 합니다. 그러나 여자들이 이런 과정을 감수한 덕분에 우리들이 세상에 태어난 것입니다. 그렇다고는 해도 생리는 지극히 개인적인 일이라 굳이 주변에 알리고 싶어 하는 사람은 없습니다. 따라서 친구가 생리를 한다는 것을 알아도 모른 척해 주는 것이 예의입니다. 남자가 몽정을 하여 정액이 나왔다고 자랑하지 않는 것과 같습니다. 친구가 몽정했다는 것을 알게 되어도 모른 척해 주는 것이 예의인 것과 마찬가지입니다. 생리란 학교나 야외 등 언제 어디서 갑자기 시작될지 모르는 것이니 그럴 때는 당황하지 말고 선생님이나 부모님께 말씀드리고 도움을 받으면 됩니다.

 월경 전 증후군이 나타나는 이유는 아직 확실하게 밝혀지지 않았지만, 호르몬 수치의 변화가 뇌에 영향을 주어 감정의 변화를 가져오는 것이라고 주장하는 학자도 있어요.

> 월경 전 증후군이 나타날 때는 독서를 하거나 평소 좋아하는 놀이를 하면서 마음을 가라앉혀 보세요.

## 4. 생리대의 필요성

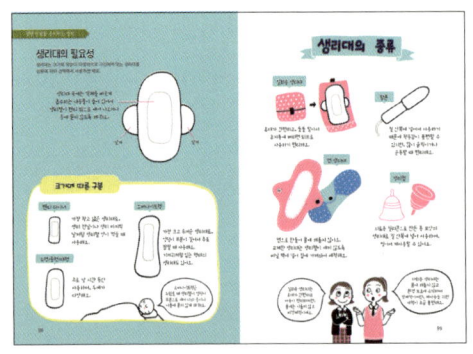

대화책 98-99쪽

생리가 시작되면 속옷에 생리혈이 묻지 않도록 생리대를 사용해야 합니다. 생리대 속에는 액체를 빠르게 흡수할 수 있는 내용물이 들어 있어서 생리혈이 팬티 밖으로 새어 나오거나 옷에 묻지 않도록 해 줍니다. 생리대의 크기와 모양은 다양합니다. 생리대는 팬티에 붙여 사용하는 패드형과 질 안에 넣어 사용하는 탐폰으로 크게 나뉘는데, 자신에게 알맞은 생리대를 상황에 따라 선택해서 사용하면 됩니다. 학교(외부)에서는 간단하고 편리한 일회용 생리대를 사용하고, 집에서는 건강에 좋은 면 생리대를 사용하는 것이 바람직합니다.

### 💬 아빠 생각

생리는 생명을 탄생시키는 준비이자 중요한 과정입니다. 그러나 생리통을 비롯하여 불편함을 느낄 수밖에 없기 때문에 부정적인 생각을 하는 경우가 많습니다. 실제로 내 아내도 결혼 전에 생리통이 심했습니다. 아기를 낳고 나면 생리통이 사라진다는 어른들의 말씀에 기대를 했지만, 출산 후에도 생리통은 여전했습니다. 그때 주변의 권유로 번거롭지만 면 생리대를 사용하기 시작했습니다. 그러자 생리통은 서서히 줄어들기 시작했습니다. 참으로 신기했습니다.

● 생리대의 종류

▸ **일회용** – 휴대가 간편하고 재사용하지 않아 편리하지만, 몸에 이롭지 않고 장기적으로 보아 비경제적이다.

① 일반형 생리대: 팬티 안쪽에 붙여서 사용한다. 날개가 없어 고정력이 약한 편이다.

② 날개형 생리대: 팬티 안쪽에 붙여서 사용한다. 생리대 양옆의 날개로 팬티에 고정할 수 있다.

③ 탐폰: 질 안쪽에 넣어서 사용한다. 착용감이 불편할 수 있지만, 많이 움직이거나 운동할 때 편리하다.

▸ **다회용** – 몸에 해롭지 않고 환경 보호에 유익하며 장기적으로 보아 경제적이지만, 재사용을 위한 세척이 불편하다.

① 면 생리대: 면으로 만들어 인공 성분이 없어서 몸에 해롭지 않다.

② 생리컵(키퍼): 의료용 실리콘 등으로 만든 종 모양의 생리대이다. 질 안쪽에 넣어 사용하며, 생리혈을 비우고 씻어서 재사용하므로 경제적이다.

 생리대를 꼭 사용해야 하나요?

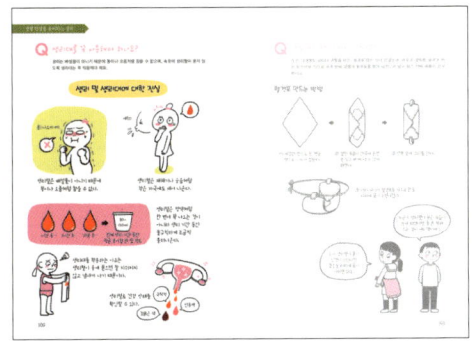

대화책 100쪽

청소년들은 생리대가 아기용 기저귀와 비슷해 보여서 생리를 배설물로 생각하는 경우도 있습니다. 하지만 생리란 배설물이 아니라 생명력을 잃은 난자와 더 이상 사용하지 않을 자궁 내막을 몸 밖으로 내보내는 것입니다. 남자가 몽정 때 정자가 들어 있는 정액을 몸 밖으로 내보냄으로써 쓰임새가 없어져 생명력을 잃는 것과 같습니다. 단지 정액은 팬티에 묻어도 쉽게 씻을 수 있지만, 생리는 혈액 성분이라 팬티나 옷에 묻으면 쉽게 씻어 내기 힘들고 냄새도 날 수 있어 생리대를 사용하는 것입니다.

● 생리 및 생리대에 대한 오해와 진실

① 생리혈은 배설물이다? →아니다. 생리혈은 배설물이 아니다. 그래서 똥이나 오줌처럼 참을 수 없다.
② 생리혈 배출은 조절할 수 있다? →아니다. 생리혈은 의지와 상관없이 재채기나 웃음처럼 작은 자극에도 새어 나온다.
③ 생리혈은 정액처럼 한 번에 쭉 나온다? →아니다. 생리혈은 생리 기간 동안 불규칙하게 조금씩 흘러나온다.
④ 생리대를 착용하는 이유는 팬티를 자주 갈아입기 귀찮아서이다? →아니다. 생리혈이 옷에 묻으면 잘 지워지지 않고 냄새가 나기 때문이다.
④ 생리대를 착용하는 이유는 팬티를 자주 갈아입기 귀찮아서이다? →아니다. 생리혈이 옷에 묻으면 잘 지워지지 않고 냄새가 나기 때문이다.
⑤ 생리대는 몸에 붙여서 사용한다? →아니다. 생리대는 몸이 아니라 팬티 안쪽에 붙여서 사용한다.

#  옛날에도 생리대가 있었나요?

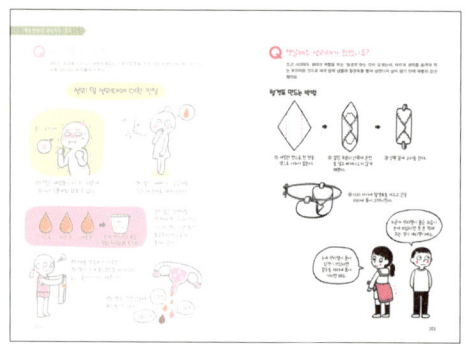

대화책 101쪽

조선 시대에도 생리대 역할을 하는 '월경포'라는 것이 있었습니다. '달거리포' 또는 '개짐'이라고도 불렀는데, 오늘날의 면 생리대처럼 흰 광목천으로 만들었습니다. 광목천이란 목화에서 실을 뽑아 표백 처리를 하지 않은 깨끗한 천(면)을 말합니다. 당시에는 여자의 생리를 숨겨야 하는 부끄러운 것으로 여겨 밤에 남몰래 월경포를 빨아 널었다가 날이 밝기 전에 재빨리 걷곤 했습니다.

청소년은 주로 패드형 생리대를 사용해요. 생리대는 크기에 따라 팬티 라이너, 소형, 중형, 대형, 오버나이트형으로 나뉘고, 날개가 있는 날개형과 날개가 없는 일반형으로 나뉘어요. 팬티 라이너는 주로 생리가 끝날 때 사용하고, 오버나이트형은 잠잘 때 사용하지요.

미처 생리대를 준비하지 못했는데 생리가 시작되었다면 학교 보건실이나 공중화장실의 자판기, 편의점, 약국에서 구할 수 있으니 걱정할 필요 없어요. 만약 어디에서도 생리대를 구할 수 없는 상황이라면 휴지를 두껍게 접어서 임시로 사용해도 돼요. 만약 실수로 옷에 생리혈이 묻었는데 신경이 쓰인다면 겉옷을 허리에 묶어 가리세요. 그리고 생리혈이 묻은 속옷은 중성 세제로 찬물에 빨아야 해요. 뜨거운 물을 사용하면 단백질 성분인 피가 응고되어 얼룩이 잘 지워지지 않거든요.

# 제4장
## 몽정과 자위

> 몽정과 자위는
> 자연스러운 생리 현상이자 건강의 척도

# 음경의 발기

## 1. 발기의 뜻

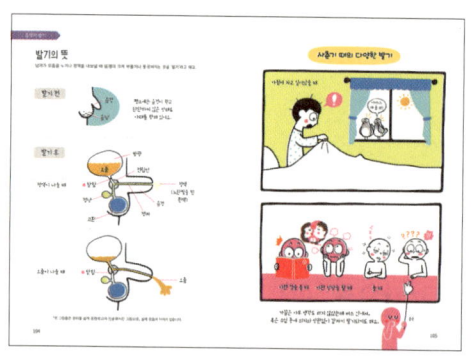

대화책 104-105쪽

남자가 오줌을 누거나 정액을 내보낼 때 음경이 크게 부풀거나 꼿꼿해지는 것을 '발기'라고 합니다. 특히 사춘기 때는 성호르몬의 분비가 왕성해져 성적인 감정을 자주 느낍니다. 그래서 야한 것을 보게 되거나 야한 상상을 하면 묘한 기분이 들면서 음경이 발기됩니다.

💬 **아빠 생각**

　2차 성징이 나타날 무렵, 아들의 경우 아침에 일어나 발기된 본인의 음경을 보고 이상하게 생각할 수 있습니다. 이때 엄마는 오줌이 마려운 것이라고 여겨 화장실로 보내지만, 아들은 그게 아닌데 싶을 것입니다. 그리고 엄마도 곧 소변이 아니라 발기임을 알게 되어 당황해합니다. 하지만 같은 남자인 아빠 입장에서는 남자로서 당연한 생리 현상이므로 대견스럽게 여길 뿐입니다. 생리가 여자의 건강 상태를 확인할 수 있는 방법이듯 발기는 남자의 건강 상태를 확인할 수 있는 방법입니다. 아침에 발기가 잘 되면 몸속의 혈액이 잘 돌아 건강하다는 의미도 있기 때문입니다. 만일 몸이 아프거나 건강이 나쁘면 발기도 잘 되지 않습니다.

청소년기에는 버스 안에서, 혹은 학원에서 수업을 듣다가 자신의 의지와는 상관없이 갑자기 발기가 되는 경우도 있을 거예요. 이렇게 뜻밖의 순간에 갑자기 발기되면 당황하지 말고 옷이나 가방, 책 같은 물건으로 가리고서 잠시 기다리면 된다고 자녀에게 가르쳐 주세요. 가릴 물건이 없다면 다리를 꼬고 앉는 것도 방법이에요. 그리고 친구가 갑자기 발기되어 당황해 하면 쳐다보거나 놀리지 말고 못 본 척 넘어가는 것이 에티켓이라고 귀띔해 주세요.

엄마 배 속의 태아나 아기도 발기를 할 수 있다고 해요. 그러니 발기를 부끄러워하거나 이상하게 여기지 마세요. 건강한 남자로서 매우 자연스러운 현상이니까요.

 정액과 오줌이 동시에 나올 수도 있나요?

정액과 오줌이 나오는 곳은 같지만, 동시에 나오지는 않습니다. 사람의 몸은 신기하게도 발기가 됐을 때는 오줌을 참을 수 있습니다. 음경이 단단해지면 방광에서 요도로 이르는 근육이 닫히기 때문입니다. 정액이 오줌과 함께 나오면 정자가 죽을 수도 있기 때문에 오줌과 정액이 함께 나오지 않도록 스스로 조절하는 것입니다.

 성인이 아니어도 아침에 발기가 되는 것이 정상인가요?

몸이 성장하면 성인이 아니어도 아침에 자신의 의지와 상관없이 발기될 수 있습니다. 특히 잠을 자고 난 뒤, 졸고 난 뒤에 흔히 발기가

됩니다. 발기는 개인차가 있어서 잠에서 깨고 나면 매번 발기되는 경우도 있고, 가끔씩 발기되는 경우도 있습니다. 몸이 성장하는 시기이므로 청소년기의 발기란 지극히 정상입니다. 사실 신체 건강한 대부분의 남자들이 수면 중에 몇 번씩 발기하는데, 이것을 스스로 느끼고 깨닫는 것은 주로 아침에 일어날 때입니다.

## 성관계 때 음경이 발기되는 이유는 무엇인가요?

대화책 106-107쪽

성관계란 사랑하는 남녀가 서로의 사랑을 확인하고 표현하는 즐거운 관계입니다. 또한 사랑의 결실인 아기의 탄생을 바라는 행동으로서, 남자의 정자가 여자의 난자에게로 찾아가는 과정이라고 할 수 있습니다. 성관계 때는 단순히 음경이 음순 안으로 들어가는 것이 아니라, 정확히 표현하자면 아기가 나오는 입구인 질 안으로 들어가는 것입니다. 난자는 여자의 배꼽 아래 깊숙하고 따뜻한 곳에 있습니다. 난자가 이렇게 깊은 곳에 위치한 이유는 아기가 엄마 배 속에서 약 10개월간 안전하게 성장하기 위해서입니다. 따라서 성관계를 위해 남자의 음경은 발기된 채 질 입구 쪽으로 접근함으로써 난자가 있는 곳까지 정자를 잘 전달하려고 노력합니다. 깊숙이 있는 난자까지 정자를 안전하게 전달하기 위해 음경을 꼿꼿이 세워 난자 쪽으로 더 가까이 다가가는 것입니다. 자녀에게 이것에 대해 설명할 때는 그림으로도 충분히 이해가 가능하니 짧고 간단하게 설명하는 것이 좋습니다.

# 꿈속의 쾌감, 몽정

## 1. 몽정의 뜻

대화책 108-109쪽

사춘기가 되면 남자는 고환에서 정자를 많이 만들어 냅니다. 이렇게 만들어진 정자를 음낭 안에 계속 쌓아 둘 수는 없으므로, 사람의 뇌는 꿈을 통해 몸 밖으로 정자를 내보내라고 지시합니다. 이때 정자는 정액이라는 액체가 되어 몸 밖으로 나오게 되는데, 이것을 사정이라고 합니다. 잠자는 동안 하는 사정은 '꿈을 꾸면서 사정한다'는 뜻으로 꿈 '몽(夢)'과 '정자(精子)'의 앞 글자를 써서 '몽정(夢精)'이라고 부릅니다.

💬 **아빠 생각**

몽정이란 잠을 자다가 꿈속에서 성적인 쾌감을 얻으면서 정액을 내보내는 것을 가리키는 말입니다. 하지만 꼭 이성이 나오는 꿈을 꾸어야만 몽정을 경험하는 것은 아닙니다. 상담 중 들은 이야기 중에는 자신이 좋아하는 장난감을 가지고 놀 때, 또는 즐거운 생각을 할 때도 몽정을 한다고 합니다. 다만 성장과 함께 점차 이성에 대한 관심이 많아져 주로 이성의 꿈을 꾸면서 몽정을 하게 되는 것입니다.

사정이나 몽정 외에 '유정'이라는 것도 있어요. 유정은 꿈이 아닌 일상생활 속에서 나도 모르게 정액이 나오는 것을 말해요. 운동을 하다가, 길을 걷다가, 예쁜 여자를 보고 자신의 의지와는 상관없이 사정이 되는 것이지요. 컵에 물이 가득 차면 넘치는 것처럼 가득 찬 정액이 몸 밖으로 빠져나오는 것은 사연스러운 현상으로, 지극히 정상이에요.

사정을 하면 몸속에 있는 영양분이 빠져나가는 건 아닐까 걱정하는 사람도 있는 것 같아요. 하지만 몸속에서는 새로운 정자가 끊임없이 만들어지고 있으니 걱정할 필요 없답니다.

## 2. 몽정 때 행동과 몽정 후 행동

대화책 110-111쪽

몽정을 한다는 것은 신체가 성인으로 잘 성장해 가고 있다는 뜻입니다. 따라서 감출 필요가 없습니다. 아들이 몽정을 시작했다면 부모님은 딸의 초경처럼 축하해 주는 것이 좋습니다. 단, 몽정도 초경처럼 지극히 개인적인 일이므로 가족 외에 다른 사람에게 알리는 것은 예의가 아니며, 또한 가족간에도 거듭 화제로 삼는 것은 바람직하지 않습니다.

💬 **아빠 생각**

나의 첫 몽정 경험은 초등학교 고학년 때였습니다. 그 무렵까지 아주 가끔 이불에 오줌을 눈 적이 있었기 때문에 나는 그것을 오줌이라고 생각했습니다. 그래서 부모님께 혼날까 걱정되어 이른 새벽에 팬티를 벗어 들고 화장실로 가서 빨았습니다. 시간이 지나자 부모님께서도 눈치를 채셨는데, 많이 부끄러웠습니다. 그때는 축하 파티는 고사하고 몽정에 대한 설명도 듣지 못해 마치 죄를 지은 것처럼 창피했던 기억으로 남아 있습니다.

 아침에 발기되면 몽정을 한 것인가요?

발기가 되었다고 모두 몽정인 것은 아닙니다. 정액이 몸 밖으로 나와야 몽정입니다. 정액이 나온 뒤 음경은 발기 전의 상태로 돌아가므로 아침에 발기된 상태만으로는 몽정이라 할 수 없습니다. 아침에 음경이 크고 딱딱해진 이유가 혹시 오줌이 마려운 경우일 수도 있으니 오줌이 나오는지 확인해 보면 몽정의 여부를 알 수 있습니다.

 팬티에 무언가 묻어 있는데, 몽정을 한 것일까요?

음경을 통해 몸 밖으로 나오는 액체는 오줌과 정액, 두 가지입니다. 그러나 액체의 양이 너무 적으면 오줌인지 정액인지 구분하기 어렵습니다. 이때 정확히 확인하는 방법은 팬티에 묻은 액체가 마른 뒤 살펴보는 것입니다. 만약 옷에 묻은 액체가 딱딱해졌거나 누런 윤곽이 보인다면 정액일 확률이 높으며, 몽정으로 볼 수 있습니다.

 **몽정 때 정액이 많이 나오는데, 정상인가요?**

몽정 때 정액의 양은 사람마다 다릅니다. 처음 몽정을 할 때는 정액의 양이 적어서 판단이 어려울 수 있겠지만, 몸의 성장에 따라 차츰 정액의 양도 늘어나는 것이 정상입니다. 그러나 너무 많은 정액이 나와 팬티가 젖거나 팬티 밖으로 흘러나왔다면 몽정이 아닐 수도 있으니 병원에 가 보는 것이 좋습니다.

 **몽정 때 나온 정액에서 이상한 냄새가 나요!**

남자의 정액은 우윳빛에 비릿한 냄새가 나는 것이 정상입니다. 이 냄새가 밤꽃(밤나무의 꽃) 냄새와 비슷하다고 말하는 사람도 있고, 표백제 비슷한 냄새라고 하는 사람도 있습니다. 또 오징어 냄새와 흡사하다고 하는 사람도 있습니다. 이는 정액 속에 들어 있는 '스퍼미딘'과 '스퍼민'이라는 물질 때문입니다. 이에 반해 여자의 질액(여자의 질에서 나오는 액체)은 냄새가 거의 없다고 합니다.

 **매일 몽정을 해도 괜찮은가요?**

정해진 횟수는 없지만 사람마다, 또 각자의 몸 상태에 따라 다릅니다. 그러나 보통 성장기 때는 일주일에 2~3회 이내가 적당합니다. 만일 자녀가 매일 몽정을 한다면 한 번쯤 병원에 데려가 보는 것이 좋습니다.

 **여자도 몽정을 하나요?**

여자도 꿈을 꾸며 몽정을 합니다. 이것을 '성몽'이라고 합니다. 이때 질 입구 쪽에서 투명한 액체가 나오는데, 난자는 들어 있지 않습니다. 남자와 달리 여자는 매우 적은 양의 질액이 나오며, 남자에 비해 몽정을 자주 경험하지는 않습니다.

 몽정은 정해진 주기가 없어요. 사정한 지 이틀도 되지 않아 다시 몽정을 하는 경우도 있고, 2~3개월 동안 몽정이 일어나지 않는 경우도 있지요. 보통은 한두 달에 한 번씩은 몽정을 하게 돼요.

몽정으로 팬티에 정액이 묻을 수도 있고, 냄새가 날 수 있어요. 이때는 부모님께 알리고 빨래를 부탁하거나 혹은 빨래 수거함에 넣어 두면 된다고 알려 주세요. 만일 자녀가 이조차도 부담스러워한다면 스스로 빨게 하는 방법도 있어요.

# 건강한 자위

## 1. 자위의 뜻

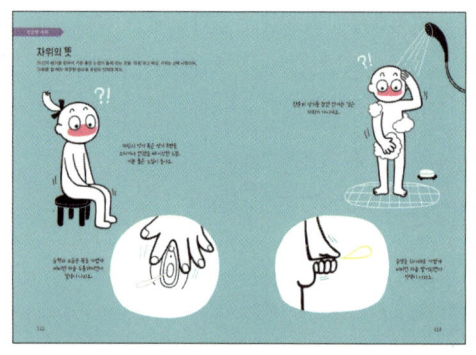

대화책 112-113쪽

몽정과 유정이 자신의 의지와 상관없이 정액이 나오는 것인 데 반해 '자위'는 자신의 의지로 남자는 정액, 여자는 질액을 배출하는 것입니다. 자위할 때 남자는 음경에 피가 몰려서 발기되어 정액이 나오고, 여자는 음핵이 두툼해지면서 질액이 나옵니다.

## 2. 자위를 하는 이유

모두가 그런 것은 아니지만, 우연히 성기 및 성기 주변을 스치거나 만졌을 때 이상한 느낌이나 혹은 기분 좋은 느낌이 들 때가 있습니다. 그 느낌이 좋아서 일부러 자신의 성기를 만지기도 하는 것입니다.

💬 **아빠 생각**

나는 초등학교 고학년 때 또래 친구들에 비해 체격이 컸습니다. 그래서 몽정도 빨리 하고, 자위도 하게 되었습니다. 그러나 나의 경우 자위를 알게 된 것은 미디어나 음란물 때문이 아니었습니다. 혼자 목욕을 하면서 성기를 씻게 되었는데, 그때 이상한 느낌과 함께 정액이 나왔습니다. 이 경험을 통해 자위를 알게 되었습니다. 당시 분명 오줌은 아닌데 이상한 반투명 흰색 액체가 나오자 병에 걸린 줄 알고 고민에 빠졌었습니다. 그러나 얼마 후 건강에 아무 이상이 없음을 알게 되자 차츰 자위를 반복적으로 하게 되었습니다.

단순히 성기를 잠깐 만지는 것은 자위라고 할 수 없어요. 자위는 선택 사항이지 필수 사항이 아니에요. 몽정을 했으니 자위를 해야 한다거나, 당연히 하고 싶어지는 것도 아니에요. 하기 싫다면 하지 않아도 아무 문제가 없어요.

자위는 나쁜 행동이 아니지만, 남에게 보여 주거나 이야깃거리로 삼는 것은 예의 없는 행동이에요.

## 3. 올바른 자위 방법

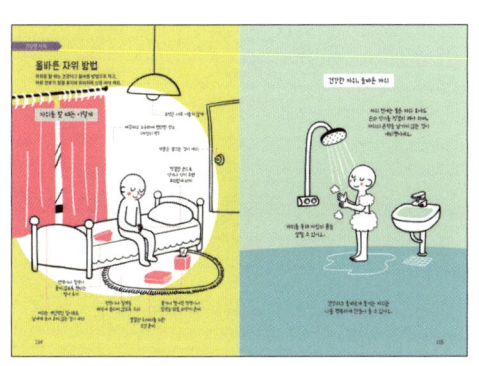

대화책 114-115쪽

자위는 건강하고 올바른 방법으로 해야 합니다. 또한 지극히 개인적인 일이므로 혼자서 씻거나 자신의 방에 혼자 있을 때 하는 것이 좋습니다. 이때 자녀는 방문을 잠그는 것이 예의이고, 부모님은 자녀의 방에 들어가기 전 항상 노크하는 것이 예의입니다. 자위를 할 때는 손을 깨끗이 씻은 뒤 자신의 성기나 성기 주변을 가볍게 천천히 만지면 됩니다. 성기는 매우 약한 부위이므로 부드럽게 만져야 합니다. 강하게 만지면 다치거나 상처가 날 수도 있습니다.

자위를 하는 과정에서 정액이나 질액이 옷에 묻거나 바닥에 떨어질 수도 있어요. 따라서 자위를 할 때는 팬티를 벗고 하거나 혹은 깨끗한 휴지나 손수건을 미리 준비해 두었다가 액이 나오면 바로 닦는 것이 좋아요.

더러운 손이나 청결하지 않은 장소에서 자위를 하면 세균 감염의 위험이 있다는 것을 잊지 마세요!

## 4. 자위 후 뒤처리

자위 전에 손을 청결히 해야 하는 것처럼 자위 후에도 손과 성기를 깨끗이 해야 하며, 자위의 흔적을 남기지 말아야 합니다. 간혹 자위 행위 후에 배뇨 때 통증이 느껴져 방광염에 걸렸다고 생각하는 경우가 있는데, 이것은 잘못된 생각입니다. 자위 행위 자체는 방광염의 직접적인 원인이 될 수 없으며, 자위 전후의 청결만 지켜진다면 아무 문제도 생기지 않습니다.

 **부모가 자녀의 자위에 대해 알고 있어야 하나요?**

평상시 성에 대한 가족 간의 대화가 자유롭지 않은 분위기라면 자녀가 부모님께 자위에 대해 알리는 것은 상당히 부담스러울 것입니다. 그러나 부모님도 자위가 무엇인지 알고 있거나 혹은 경험이 있으므로 자녀에게 조언이나 도움을 줄 수 있습니다. 따라서 부모님은 자녀가 편안한 마음으로 자위 이야기를 꺼낼 수 있도록 평소 대화의 창을 활

짝 열어 두는 노력을 해야 합니다. 또한 자위에 대한 인식이 부정적이지 않아야 하며, 자녀에게 올바른 자위에 대해 알려 주어야 합니다. 자녀가 자위를 편하게 할 수 있도록 개인 공간을 마련해 주는 배려도 필요합니다.

  자위하면 키가 안 크나요?

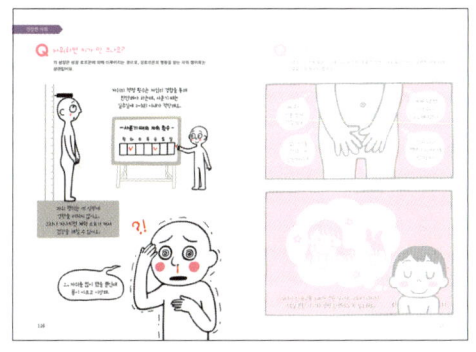

대화책 116쪽

자위와 키 성장은 큰 관련이 없습니다. 자위는 성호르몬의 영향을 받는 것이고, 키 성장은 성장 호르몬의 영향을 받는 것이기 때문입니다. 하지만 자위 행위가 지나치다면 성장에 영향을 줄 수도 있습니다. 자위는 체력 소모가 크므로 자위를 너무 많이 하면 피곤해져서 결국 성장에 영향을 미칠 수도 있기 때문입니다. 그러나 사람마다 체력, 즉 신체 능력이 다르므로 어느 정도의 자위가 적당한지는 본인이 경험을 통해 스스로 판단해야 합니다. 보통 사춘기 때는 일주일에 2~3회 이내가 적당합니다.

💬 **아빠 생각**

나는 청소년이 되면서 자위 횟수가 부쩍 늘었습니다. 많게는 하루에 2~3번씩 한 적도 있었습니다. 그런데 여러 날에 걸쳐 여러 번 계속하다 보니 결국 코피가 나고 몸살까지 왔습니다. 이 경험을 통해 자위를 많이 하면 건강을 해칠 수도 있다는 것을 알게 되었습니다.

 **자위를 하면 죄책감이 들어요!**

대화책 117쪽

자위를 하는 이유는 성기 감각이 예민해지면서 좋은 느낌을 얻기 때문입니다. 그런 감각이 느껴지는 이유는 생명을 창조하는 행위가 즐거워야 세대가 끊기지 않고 이어지기 때문입니다. 그러므로 자위를 나쁜 행위라고 생각할 필요는 없습니다. 단지 과하지 않으면 됩니다.

### 💬 아빠 생각

초등학교 고학년 때 몽정을 시작하면서 꿈속에서 어떤 여자를 보게 되었습니다. 그 당시 인기를 끌던 만화 영화 '은하철도 999'에 나오는 여자 주인공이었습니다. 그 여자 주인공을 떠올리면 기분이 이상해지고 자위를 하고 싶어졌습니다. 시간이 지나면서 그 만화 영화의 주인공은 여자 연예인이나 여배우로 바뀌었습니다. 하지만 시간이 흐르고 대상이 바뀌어도 한결같이 마음에 걸리는 것이 있었습니다. 이런 상상을 하는 내 자신이 문제가 있다는 생각과 함께 죄책감이 들었던 것입니다. 이 고민을 아무에게도 털어놓을 수 없어서 더 답답했습니다. 이런 죄책감은 사랑하는 사람을 만난 후에야 비로소 사라졌습니다. 만일 누군가 나에게 이런 경험이 매우 자연스러운 것이라고 말해주었더라면 청소년기의 불필요한 고민과 죄책감은 없었을 것입니다.

 **자위 횟수를 조절할 수 있나요?**

대화책 118~119쪽

사람은 누구나 성욕을 가지고 태어나며, 성장과 함께 성욕도 점점 커져 갑니다. 특히 청소년기에는 에너지가 넘치기 때문에 적절한 성욕 해소가 필요한데, 운동이나 자신이 좋아하는 취미 활동을 하면 어느 정도 해소됩니다. 그러나 혈기 왕성한 성장기 시기에는 이런 활동만으로는 성욕 해소에 한계가 있어 자위를 하기도 합니다. 자위는 나쁜 행동은 아니지만, 지나치면 건강을 해칠 수 있으므로 적당한 운동이나 취미 활동에 집중함으로써 횟수를 조절하는 것이 좋습니다.

 **자위를 많이 하면 아기를 낳을 수 없나요?**

자위를 많이 하더라도 정액은 줄어들거나 없어지지 않습니다. 따라서 정자 수에도 영향을 미치지 않습니다. 사춘기가 되면 고환에서 남성 호르몬인 테스토스테론이 생산되면서 정자가 만들어지며, 건강에 이상이 없다면 평생 동안 매일 50만~100만 마리의 정자가 만들어진다고 합니다. 따라서 자위로 인해 정액이 줄어들거나 없어져서 아기를 가질 수 없다는 것은 잘못된 생각입니다.

● 자위하는 자녀를 발견했을 때의 대처 방법

① 노크 없이 방문을 연 것에 대해 사과하고, 자연스럽게 자리를 피해 준다.

② 부부 간에 자녀의 자위 문제에 대해 공유한다.

③ <생각책> 제4장을 충분히 숙지한 뒤 마음을 가라앉히고 자녀와의 대화를 준비한다.

[시간이 지난 뒤]

④ 자녀가 좀 더 편안하게 느끼는 쪽의 부모가 대화를 시도한다.

⑤ <대화책> 제4장을 함께 보면서 짧고 편안하게 대화를 나눈다.

⑥ 올바른 자위 방법과 에티켓 등에 대해 알려 준다.

자위는 나쁘고 잘못된 행동이 아니에요. 하지만 음란물을 보면서 자위를 하는 것은 죄책감이 점점 커질 수 있으니 주의하는 게 좋아요. 또 성욕 조절이나 성욕 해소가 잘 된다면 굳이 자위를 할 필요가 없겠지요.

자위를 통해 자신의 몸을 살펴볼 수 있고, 성감대를 찾을 수도 있어요. 종교와 문화에 따라 자위가 나쁘게 받아들여지기도 해서 어떤 사람들은 자위에 대한 욕구를 부정하려 드는 경우도 있어요. 하지만 자위는 선택 사항이므로 굳이 좋고 나쁘고를 구분할 필요는 없을 것 같아요. 건강한 자위라면 긍정적으로 받아들일 부분도 있으니까요.

# 제5장
## 성관계와 임신

> 성관계는 신체적 사랑의 표현이며,
> 생명 탄생을 위한 행위

# 남자와 여자의 성관계

## 1. 성관계란?

대화책 122-123쪽

'성관계'란 남녀가 서로를 깊이 사랑하여 이루어지는 신체적 관계를 말합니다. 이 과정에서 남자의 정자와 여자의 난자가 만나 아기가 탄생할 수도 있습니다. 이렇게 아기가 엄마 배 속에 잉태된 것을 '임신'이라고 합니다. 그리고 잉태된 아기가 약 10개월(약 280일)간 엄마의 배 속에서 성장하다가 세상에 나오는 것을 '출산'이라고 부릅니다.

💬 **아빠 생각**

예전에 『생명의 탄생』이라는 책을 읽다가 문득 생각난 것이 있었습니다. 바로 '합체 로봇'입니다. 처음에는 주인공 로봇이 악당과 일대일로 싸우는데, 혼자서 싸울 때는 늘 적에게 집니다. 그러다가 최후의 방법으로 선택하는 것이 바로 '합체'입니다. 동료 로봇과 합체하여 서로 힘을 합쳐서 악당을 물리치는 것입니다. 이는 마치 엄마와 아빠가 결합하여 우수한 유전자를 보유한 새로운 생명을 탄생시키는 것과 같습니다. 부모님의 합체 효과로 아기는 부모님보다 더 건강하고 튼튼한 존재가 될 수 있습니다. 물론 간혹 합체가 실패하거나 잘못된 합체로 인해 적에게 패배하는 경우도 존재합니다.

## 사람은 왜 남자와 여자로 나누어 태어날까요?

대화책 124-125쪽

사춘기를 지나 성인이 된 남녀는 자신의 짝이 될 이성을 찾습니다. 그리고 자신이 바라던 이성을 만나게 되면 환경적, 유전적인 영향으로 매력과 호감을 느낍니다. 이때 환경적 원인은 주로 자라 온 환경과 부모님의 양육 과정에서 찾을 수 있고, 유전적 원인은 부모님으로부터 물려받은 유전자에서 찾을 수 있습니다. 이성에 대한 호감은 상대방과 내가 같은 유전자적 성질을 가지고 있을 때보다는 다른 성질일 때 더 크게 느낀다고 하는데, 그 이유는 다른 건강한 유전적 성질과 '합체'될 때 새로운 변화의 기회를 갖기 때문입니다.

💬 아빠 생각

나는 남녀 만남의 과정을 두 가지로 봅니다. 첫 번째는 '다름'으로 인한 호감입니다. 즉, 처음 만난 상대방에게 나와 다른, 그러나 긍정적인 면을 발견하게 됩니다. 그 다름이 내 부족한 부분을 채워 주거나 도와줄 것이라고 느끼게 되는 것입니다. 보통 이것을 '끌린다'고 하거나 '본능'이라고 표현합니다. 두 번째는 '같음'으로 인한 호감으로, 상대방과 나의 공통점을 발견함으로써 공감을 느끼고 친해질 수 있는 기회를 마련해 줍니다. 이것을 '통한다'고 하거나 '잘 맞는다'고 말합니다. 이처럼 남녀의 만남이란 서로가 달라서, 혹은 같아서 호감을 느끼고 좋아하게 되는 것입니다.

 **남자와 여자는 왜 성관계를 하나요?**

대화책 126-127쪽

사람은 자신의 마음속을 정확히 모를 때가 종종 있습니다. 성인이 된 남녀는 자신의 아기를 낳고 싶다는 본능적인 욕구가 생기는데, 이것도 그중 하나입니다. 자신도 모르게 아기를 낳고자 하는 바람, 즉 성관계를 원하는 욕구가 마음속에 생기는 것입니다. 그래서 이성에 대해서 관심이 많아지고, 호감을 느끼는 이성을 만나면 서로를 더 알아 가고 싶어집니다. 이렇게 시작된 만남은 사랑을 느끼는 관계로 발전하고 신뢰가 쌓여 마침내 신체적 사랑의 표현인 '성관계'로 이어지고, 이를 통해 아기가 태어납니다. 결국 성관계란 남녀가 의식하지 못하지만 자신의 아기를 낳고 싶어 하는 마음에서 시작되는 것입니다.

💬 **아빠 생각**

사랑하는 남녀는 결혼을 하면서 대부분 자녀를 낳을 계획도 갖습니다. 그러나 아기를 낳기 위해 결혼하는 것은 아닙니다. 자신의 행복을 위해서 결혼을 하고, 사랑의 결실로서 자녀를 원하게 되는 것입니다. 부부는 분명 자녀로 인해 행복을 느끼지만, 자녀를 위해서 사는 것은 아닙니다. 다시 말해, 부모님이 자녀를 낳아 키우는 것은 결혼의 당연한 결과가 아니라 '선택'입니다. 따라서 자녀가 늘 부모님께 감사하는 마음을 가질 수 있도록 충분히 설명하고 이야기를 나누어 사랑과 결혼, 임신과 육아에 대해 잘 이해할 수 있도록 이끌어 주어야 합니다.

 **부부가 성관계를 하는 것은 아기를 낳기 위해서인가요?**

　물론 부부는 아기를 낳기 위해 성관계를 합니다. 그러나 오직 아기를 낳기 위해서만 성관계를 하는 것은 아닙니다. 성관계는 남녀가 서로를 사랑한다는 육체적인 표현이며, 부부 관계를 유지해 가는 행동이기도 합니다. 그래서 어느 정도 성교육이 된 청소년 자녀의 경우라면 성관계가 오직 아기를 낳기 위한 것만은 아니라고 말해 줄 필요가 있습니다. 부모이기 이전에 부부로서도 중요한 사랑의 표현이라고 솔직하게 말해 주자는 것입니다. 다시 말해, 자신의 유전자를 남기고 싶은 무의식이 존재하는 건 사실이지만, 결국 선택은 당사자인 남녀 스스로 하는 것임을 알려 주어야 합니다.

💬 **아빠 생각**

　사람은 포유류 중에서도 임신 기간이 비교적 긴 편에 속합니다. 사람이 엄마 배 속에서 오랜 시간 동안 아기를 키워 내는 이유는 뇌를 좀 더 발달시키기 위해서입니다. 그러나 사람의 아기는 다른 동물들과 달리 약 1년이 지나야만 비로소 걸을 수 있는 생존 능력이 약한 존재이며, 약 10년쯤 되어야 스스로를 돌볼 수 있는 최소한의 능력을 갖게 됩니다. 그래서 아기는 한동안 부모님의 도움을 절실히 필요로 합니다. 아기는 당연히 혼자보다는 둘이 함께 키우는 것이 더 수월합니다. 그래서 아주 오래전부터 사람은 아기를 가질 때뿐만 아니라 아기를 낳은 뒤에도 서로를 필요로 했고, 다양한 사랑의 표현을 통해 믿음과 신뢰를 유지했습니다. 이 사랑의 표현 중에는 신체적 표현인 포옹, 키스와 함께 적극적 표현인 성관계도 있습니다. 물론 성관계가 사랑의 표현에 필수적인 것은 아닙니다. 신체적인 표현 없이도 충분히 서로를 사랑하고 아끼는 사람들도 있습니다. 그리고 내 경우에도 젊을 때보다는 못하지만 여전히 아내와 사랑의 표현인 성관계를 나누고 있습니다.

이 과정에서 운이 좋으면 또 아기를 만날 수도 있을 것입니다. 그러나 성관계는 둘만의 비밀스러운 표현이므로 자녀가 이를 민감하게 받아들인다면 자주 언급할 필요는 없습니다.

## 2. 사랑과 성관계

대화책 128-129쪽

독일의 심리학자이자 사회학자인 에리히 프롬은 『사랑의 기술』이라는 책을 통해 사랑에 대해 설명한 바 있습니다. 자녀들에게 그가 주장하는 '사랑의 4가지 구성 요소'를 설명해 준다면 청소년들이 이성에 대한 자신의 관심이 단순한 열정인지 진정한 사랑인지 구별하고 사랑을 이해하는 데 도움이 될 것입니다.

💬 아빠 생각

에리히 프롬은 사랑의 4가지 요소로 보호, 책임, 존경, 지식을 꼽았습니다. '보호'는 나를 희생해서 상대방을 보호하려는 마음을 말합니다. '책임'은 자기 행동, 즉 성 행동에 대한 책임감을 뜻합니다. '존경'은 상대방에 대한 존경과 존중을 의미하며, '지식'은 상대방을 바르고 정확하게 아는 마음, 즉 바르고 정확한 성 지식을 바탕으로 하는 소통을 뜻합니다. 이 4가지 요소를 모두 갖추어야 비로소 사랑이라 할 수 있으며, 성관계는 이 사랑을 바탕으로 이루어져야 합니다. 성관계 요구를 거절했다고 하여 죄책감을 가질 필요는 없습니다. 그보다는 우선 상대방에 대한 자신의 감정이 사랑인지 아닌지부터 확실하게 구분한 뒤에 성관계 여부를 결정하는 것이 올바른 순서임을 자녀에게 알려 주어야 합니다.

성관계의 시기는 정해져 있지 않아요. 하지만 성관계를 하기 전에 어떤 준비가 필요한지, 성관계 후에는 어떤 결과가 생길 수 있는지 미리 생각해 보아야 해요. 단순한 호기심이나 욕구 충족을 위한 성관계는 결국 후회로 남기 쉬워요. 따라서 원하지 않는 임신에 대해서도 충분히 생각해 본 뒤, 그 결과를 책임질 수 있을 때 성관계를 가져야 서로에게 상처를 주지 않아요.

성관계는 사랑을 표현하는 여러 방법 중 하나지만, 손을 잡거나 포옹을 하는 것과 같은 가벼운 스킨십과는 달라요. 성관계 후에는 임신이나 성병 같은 뜻밖의 결과가 생길 수도 있기 때문이에요. 그러므로 성관계는 두 사람 모두가 원할 때 해야 하고, 내가 하고 싶지 않을 때는 망설임 없이 분명하게 거절할 수 있어야 해요. 또 상대방이 성관계를 거절하더라도 내 감정만 앞세워 비난하지 말고 이해해 주어야 하고요. 계속 거절하는 것이 미안해서 혹은 상대방과 헤어지게 될까 봐 두려워서 원하지 않는 성관계를 갖는 일은 결코 없어야 해요.

# 새 생명의 탄생, 임신

## 1. 정자와 난자의 만남

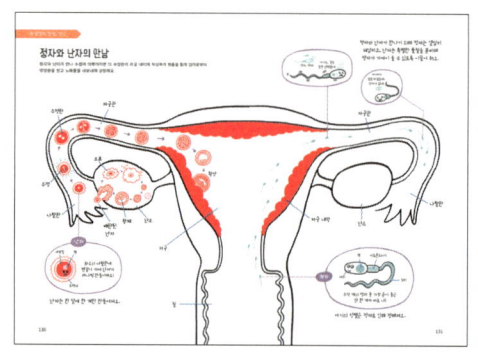

대화책 130-131쪽

아빠의 수억 개 정자 중에서 운이 좋은 단 한 개의 정자가 엄마의 난자를 만나 생명이 됩니다. 가장 먼저 난자안에 들어간 정자는 난자 벽에 전류 같은 것을 흐르게 해서 보호막을 만들어 다른 정자가 들어오지 못하게 합니다. 이후 수정란이 되어 자궁으로 내려가 자리를 잡고 약 10개월에 걸쳐 손가락과 발가락, 뇌, 심장, 허파, 창자, 뼈, 핏줄 등을 만들어 가면서 점차 사람의 모습을 갖추어 갑니다. 하지만 이렇게 어렵게 잉태된 생명이라 해도 전부 세상에 나오는 것은 아닙니다. 정자나 난자 어느 쪽이든 건강하지 않거나 또는 엄마의 건강이 좋지 않으면 잉태된 생명은 엄마 배 속에서 생명이 꺼질 수도 있습니다. 그러므로 한 생명이 세상에 태어난다는 것은 대단히 경이롭고 위대한 일입니다. 그래서 아기가 태어나면 아빠 엄마는 물론 가족과 지인들이 몹시 기뻐하며 축복하고 축하해 주는 것입니다.

💬 **아빠 생각**

아기의 잉태와 탄생은 가족과 친척뿐만 아니라 사회 전체에도 의미 있고 중요한 일입니다. 따라서 임신 사실을 알게 된 순간부터 산모는 안전하게 출산을 마칠 때까지 주변 사람들의 집중적인 관심과 보호를 받는 것이 당연합니다. 출산 후에는 이 관심과 보호가 아기에게

향합니다. 사람은 다른 포유류에 비해 성장이 매우 느리기 때문에 아기가 어느 정도 자라 사회 구성원 역할을 하게 될 때까지는 주변 도움의 손길, 특히 부모님의 도움이 많이 필요합니다.

● 임신 진행 순서

① 배란기에 난소에서 난자가 나온다. 질구를 통해 들어온 정자가 나팔관으로 이동한다.

② 정자와 난자가 나팔관에서 만나 수정이 이루어진다. 수정란은 세포 분열을 하며 자궁으로 이동한다.

③ 자궁으로 이동한 수정란이 자궁 내막에 착상하여 엄마의 몸과 연결된다.

④ 탯줄을 통해 영양분을 받고 노폐물을 내보내며 성장한다.

정자와 난자가 만날 때, 정자는 난자를 찾아 헤엄쳐 가느라 애쓰는 데 반해 난자는 아무것도 하지 않는다고 생각하는 사람들이 많은 듯해요. 하지만 난자도 편안히 기다리고 있는 게 아니라 힘든 과정을 거치며 열심히 나팔관으로 이동해요. 그리고 나팔관에서는 정자를 유도하는 액이 흘러나와 정자가 난자 쪽으로 잘 찾아올 수 있도록 돕지요.

난자는 화학 물질을 분비해 정자가 가까이 오도록 이끌어 줘요. 뿐만 아니라 자궁은 정자를 위로 밀어 올리기 위해 수축 운동을 하는데, 이 움직임을 따라 정자가 나팔관까지 잘 이동할 수 있는 거랍니다.

 **임신하면 배가 얼마나 나오나요?**

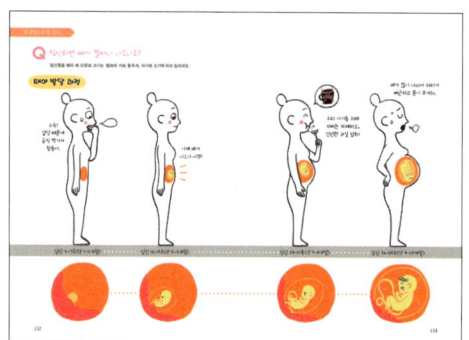

대화책 132-133쪽

임신했을 때의 배 모양과 크기는 사람마다 다릅니다. 엄마의 키와 몸무게, 아기의 크기에 따라 배 부른 정도가 달라집니다. 엄마가 키가 크고 허리가 길면 배가 덜 나와 보이고, 엄마의 키가 작고 허리가 짧으면 배가 좀 더 많이 나와 보입니다. 엄마 배 속 아기의 자세도 배 크기에 영향을 미칩니다. 아기가 몸을 웅크리고 있을수록 엄마의 배는 덜 나와 보입니다. 어떤 경우든 공통적으로 아기의 성장에 따라 엄마의 배도 점차 커져 갑니다.

💬 **아빠 생각**

임신을 하면 배 속 아기에게 영양분을 전해 주어야 하기 때문에 임신 전보다 음식을 많이 먹게 됩니다. 안전을 위해 무리한 운동도 삼가다 보니 몸무게는 더욱 늘어납니다. 출산 때가 되면 엄마의 몸무게는 약 20kg 정도 늘어나는데, 이는 아기의 몸무게와 엄마의 늘어난 몸무게를 합한 무게입니다. 엄마는 이렇게 불룩해진 배와 무거워진 몸으로 생활하기 때문에 여간 불편한 게 아닙니다. 내 아내도 임신 때 체중 조절을 위해 여러 가지 노력을 했는데, 그중 하나가 바로 음식 조절이었습니다. 과체중이 되지 않도록 노력한 것은 물론 배 속 아기의 건강에 좋지 않다는 음식은 철저히 금했습니다. 출산까지의 몇 개월 동안 평소 아내가 좋아하던 커피, 과자, 아이스크림 등을 먹지 않고 참는 것을 보면서 엄마들이 참으로 대단하다는 생각이 들었습니다.

#  쌍둥이는 왜 생기나요?

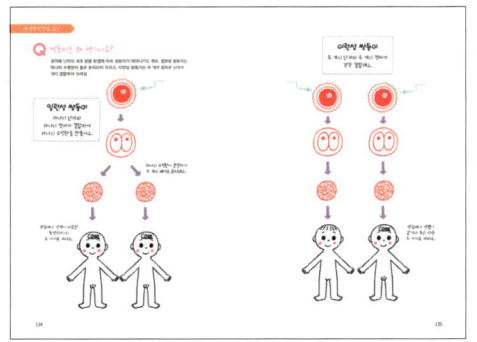

대화책 134-135쪽

한 개의 정자와 한 개의 난자가 만나 생명이 잉태되는 것은 모든 아기의 경우가 같습니다. 다만 이때 정자와 난자가 어떻게 세포 분열하느냐에 따라 쌍둥이가 태어나기도 합니다. 쌍둥이는 일란성과 이란성으로 나뉩니다. 일란성 쌍둥이는 정자 하나와 난자 하나가 만나 알 수 없는 어떤 이유에 의해 두 생명으로 나뉘는 것으로, 마치 하나의 사람이 둘로 나뉜 듯 성별과 유전적 특징이 같습니다. 초기 분열 과정에서 두 개로 분열하여 각각의 개체로 성장하기 때문입니다. 반면 이란성 쌍둥이는 한꺼번에 배란된 두 개의 난자가 동시에 각각 다른 정자 두 개를 만나 수정되어 생깁니다. 이 경우 성별과 유전적 특징이 서로 다를 수 있습니다. 즉, 성별이 다를 수도 있고 같을 수도 있으며, 체격이나 체형이 닮지 않은 경우도 있습니다.

### 💬 아빠 생각

어릴 적 친구 중에 일란성 쌍둥이가 있었습니다. 이 친구들은 겉모습은 똑같아 보였지만 성장해 가면서 성격과 식성, 헤어스타일, 옷차림 등에서 약간씩 차이가 나타나기 시작했습니다. 그리고 청소년 시기가 되자 누가 누구인지 확실히 구분할 수 있게 되었습니다. 아무리 똑같은 모습으로 태어난 일란성 쌍둥이라 해도 살아가는 환경에 따라, 혹은 성장과 함께 개성이 뚜렷해지면서 조금씩 달라지기도 합니다. 따라서 부모님도 쌍둥이를 언제까지나 똑같이 대할 수는 없을 것입니다. 서로 다른 각각의 개성에 맞추어 둘을 다르게 인정하고 이해해 주어야 부모와 자녀, 또는 자녀들간에 좋은 관계를 유지할 수 있습니다.

 수억 개의 정자는 조금씩 다른 유전 형질을 가지고 있기 때문에 서로 다른 모습의 이란성 쌍둥이가 탄생해요.

난자 역시 각각 조금씩 다른 유전자를 가지고 있어요.

#  아기를 낳는 고통은 얼마나 큰가요?

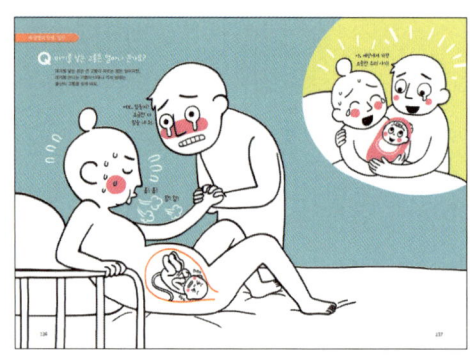

대화책 136-137쪽

아기의 몸은 유연하기 때문에 출산 때 엄마의 작은 통로(질)를 통과하는 것이 가능합니다. 이때 엄마도 가만히 있는 것이 아니라 아기가 엄마 몸 밖으로 나올 수 있도록 자궁 근육을 수축하여 통로를 넓혀 줍니다. 이 과정에서 엄마는 통증을 느끼게 되는데, 그 정도와 시간은 사람마다 차이가 있습니다. 처음에는 불규칙적이고 약하던 통증이 차츰 규칙적이고 강해집니다. 고통 없이 아기를 낳는 엄마는 단 한 명도 없지만, 아기를 만나는 기쁨이 너무나 커서 출산의 고통도 잊는 것입니다. 엄마가 출산의 고통에도 불구하고 둘째, 셋째 아기를 낳는 이유는 바로 이 때문입니다.

아기를 낳는 방법은 크게 자연 분만과 인공 분만으로 나뉩니다. 자연 분만은 엄마의 질을 통해 태아의 머리부터 나오는 방법으로, 분만 후 엄마의 건강 회복 속도가 빠르고 감염의 위험이 적어 합병증의 확률이 작습니다. 출산 과정에서 겪는 자극이 아기의 뇌 기능 발달에 도움이 되며, 출산 직후부터 모유를 먹일 수 있어 아기의 면역력이 높아집니다. 인공 분만은 수술을 통해 아기를 낳는 방법으로, 아기의 머리가 아래로 향해 있지 않거나 아기의 몸이 큰 경우, 엄마의 건강이 좋지 않은 경우에 선택합니다.

### 💬 아빠 생각

출산의 고통은 엄마만 느끼는 것이 아닙니다. 좁은 통로를 빠져나와야 하므로 아기도 아프고 힘들고 지치지만, 너무 어릴 때의 일이라 기억을 못 할 뿐입니다. 자녀에게 탄생의 추억담을 들려줄 때, 당시의 고통을 떠올려 아기를 낳는 것이 아프고 힘든 일이라는 선입견이 생기지 않도록 주의해야 합니다. 출산의 고통에 대한 엄마의 생생한 경험담이 자녀들에게 두려움과 죄책감을 줄 수도 있기 때문입니다. 출산의 고통이 잊혀질 만큼 자녀와의 만남이 소중하고 특별하다는 점에 무게를 두어 자녀가 스스로를 소중한 존재로 여길 수 있도록 해 주어야 합니다.

곁에서 출산을 지켜보고 자녀의 탯줄을 잘랐던 순간의 아빠의 감동과 경험담은 자녀의 자존감 형성에 긍정적인 영향을 준답니다.

만약 무의식중에 출생의 고통에 대해 자녀에게 언급하게 되었다면 아기(자녀)와 만난 순간 그 모든 고통이 잊혀질 만큼 행복했음을 반드시 덧붙여서 말해 주세요.

# 낙태와 피임

## 1. 어쩔 수 없는 어려운 선택, 낙태

성인이 된 남녀는 사랑의 행위를 통해 아기를 낳을 수 있습니다. 그러나 간혹 유전적 문제나 전염성 질병 등의 문제로 인해 배 속의 아기가 죽거나, 혹은 성폭행 등 원하지 않는 임신으로 어쩔 수 없이 아기를 포기해야 하는 경우도 있습니다. 이때 아기뿐 아니라 엄마의 위험을 막기 위해 수술을 통해 아기를 엄마 배 속에서 꺼내야 하는 어려운 선택을 하게 됩니다. 이를 '낙태'라고 하는데, 드물게 발생하는 일이니 걱정하지 않아도 됩니다.

## 2. 아기를 낳아 키울 수 없을 때의 선택, 피임

대화책 138-139쪽

'피임'이란 정자와 난자가 만나지 못하게 해 임신이 이루어지지 않도록 하는 것을 말합니다. 사랑하는 남녀는 육체적 사랑의 표현으로 성관계를 하고, 아기를 낳기도 합니다. 그런데 깊은 관계는 원하지만 당장 아기를 낳아서 키울 수 없는 상황도 있습니다. 이럴 때 아기 낳는 것을 한동안 미루는 피임이라는 방법을 선택하는 것입니다.

💬 **아빠 생각**

결혼을 하면 대부분의 부부가 아기를 낳습니다. 그러나 부부가 되었다고 반드시 아기를 낳아야만 하는 것은 아닙니다. 아기를 낳지 않고 부부끼리만 사는 경우도 있습니다. 또 아기를 갖고 싶지만 건강이 허락하지 않아 아기 낳는 것을 미루는 경우도 있습니다. 성관계와 임신은 별개의 문제이므로, 성관계는 하되 정자와 난자를 만나지 못하게 하여 임신을 피할 수도 있습니다. 우리 부부도 결혼을 하기 전 아기 문제로 진지하게 상의를 했었습니다. 결혼 후 당장은 아기를 낳아 기를 수 있는 환경이 아니라서 돈을 더 모아 좀 더 좋은 환경에서 아기를 낳아 기르기로 뜻을 맞추었습니다. 그래서 한동안 피임을 하다가 아기를 낳고자 할 때 피임을 중단했습니다.

● **피임을 해야 하는 경우**

① 아직 아기를 낳을 계획이 없을 때
② 아기를 낳아 키울 수 있는 준비가 안 되어 있을 때
③ 엄마나 아빠가 몸이 아파서 치료를 받아야 할 때
④ 아기가 이미 많아서 더 이상 낳아 키우기 힘들 때

성관계는 새 생명이 만들어지는 과정으로 연결될 수도 있으므로 아기를 낳아 키울 준비가 되어 있지 않다면 성관계를 하기 전에 반드시 피임에 대한 준비를 해야 해요.

만약 피임에 대한 준비를 미처 하지 못했다면 사후 피임약을 먹는 방법도 있어요. 이 피임약은 의사 선생님의 처방을 받아 구할 수 있는데, 성관계 후 72시간이 지나기 전에 먹어야 효과가 있어요. 하지만 피임약을 장기간 복용하면 건강에 좋지 않으니 주의해야 해요.

## 3. 피임 방법

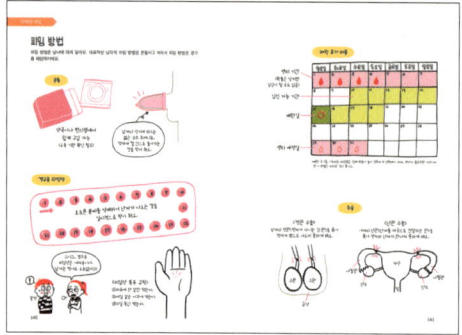

대화책 140-141쪽

피임 방법은 남녀에 따라 다릅니다. 기구나 약품을 이용한 여러 방법들이 있는데, 대표적인 남자의 피임 방법으로는 콘돔이 있고 여자의 방법으로는 먹는 피임약이 있습니다.

● 여러 가지 피임 방법

① 콘돔: 남자의 성기에 씌우는 얇은 고무 주머니로, 정자가 여자의 질 안으로 들어가는 것을 막아 준다.

② 경구용 피임약: 호르몬 분비를 억제하여 난자가 나오는 것을 일시적으로 막는다.

③ 배란 주기 이용: 임신 가능한 여자의 배란 시기를 피해서 성관계를 한다.

④ 정관 수술: 남자의 정관(정자가 다니는 긴 관)을 묶어 정자가 밖으로 나오지 못하게 한다.

⑤ 난관 수술: 여자의 난관(난자를 자궁으로 전달하는 관)을 묶어 정자와 난자가 만나지 못하게 한다.

콘돔은 약국이나 편의점 등에서 살 수 있으며, 피임 효과도 좋아요. 뿐만 아니라 사용법과 휴대가 간편해서 가장 많이 선택하는 방법이에요.

배란 주기를 이용하는 피임법은 실패할 확률이 높아 신중하게 선택해야 해요. 배란 시기는 심리적, 신체적인 영향으로 바뀔 수도 있거든요. 생리가 불규칙하다면 이 방법은 피해야 해요.

# 제6장
## 음란물

> 현실과 많이 달라
> 죄책감을 느끼게 하는 콘텐츠

# 음란물의 의미

## 1. 음란물의 중독성

대화책 144-145쪽

'음란물'이란 성관계를 과장되게 보여주는 성행위 그림, 사진, 동영상 또는 미디어를 말합니다. 그리고 음란물은 담배처럼 중독성이 있습니다. 호기심에 담배를 접했다가 중독되어 결국 담배가 없으면 견디지 못하는 위험한 단계에 이르는 것처럼 음란물도 마찬가지입니다. 처음에는 호기심에 찾아 보았다가 놀라거나 당황하게 됩니다. 그러면서도 어른들의 행위가 궁금하여 자세히 보고 싶은 마음에 또다시 찾게 됩니다. 처음에 느꼈던 놀라움은 차츰 흥분으로 변해 갑니다. 그러다가 우울하거나 힘들 때면 나도 모르게 음란물을 찾아서 보게 되고, 이것이 습관이 되면서 결국 음란물 중독이 됩니다. 문제는 놀라움, 흥분감과 함께 죄책감과 슬픔도 느끼게 되며, 한번 중독이 되면 끊기가 매우 힘들다는 것입니다. 담배가 몸에 좋지 않다는 것을 알면서도 쉽게 끊지 못하는 것과 같습니다. 그래서 처음부터 안 피고 안 보는 것이 최선이라고 말하는 것입니다. 하지만 어쩔 수 없이 접하게 되어 쉽게 끊어 낼 수 없는 상황에까지 이르게 되었다면 더 늦기 전에 부모님이나 선생님께서 도와주셔야 합니다. 부모님께서는 자녀가 쉽게 도움을 요청할 수 있도록 평소 관심과 함께 음란물에 대한 열린 대화의 분위기를 마련해 두는 것이 중요합니다.

### 💬 아빠 생각

요즘은 방송이나 신문 매체를 통해 금연 홍보나 캠페인을 자주 접할 수 있습니다. 더불어 담배 연기의 발암 물질이 나뿐만 아니라 주변 사람들에게도 피해를 준다고 알려져 예전에 비해 담배를 피우는 사람이 많이 줄었습니다. 그러나 지금의 부모 세대는 청소년기에 그런 충고를 해 주는 사람이 적었고, 오히려 담배를 피우는 모습이 멋있다는 분위기가 조성되었습니다. 젊을 때는 당장 건강에 영향을 미치지 않는 듯 느껴져 마음 놓고 담배를 피우다가 시간이 지나 결국 건강에 문제가 발견됩니다. 음란물도 마찬가지입니다. 음란물 몇 번 봤다고 당장 큰 문제가 생기는 것은 아니지만, 습관적으로 보다 보면 육체적·정신적 건강에 문제가 생깁니다. 그렇기 때문에 자녀가 호기심에 음란물을 몇 번 본 경험이 있다면 음란물이 무엇이며, 왜 좋지 않은지 자세히 알려 주어야 합니다.

음란물을 접하는 것이 큰 잘못은 아니에요. 음란물을 본다고 다 이상한 사람이 되는 것도 아니고요. 문제는 음란물의 내용이에요. 음란물 속의 남자와 여자는 서로를 존중하고 배려하며 사랑을 나누는 것이 아니라, 자극과 흥분을 위한 단순한 성행위만 해요. 그래서 어린 나이에 이런 음란물을 접하게 되면 잘못된 성 가치관을 갖게 될 수 있기 때문에 주의해야 해요.

음란물을 습관적으로 보는 사람은 시간이 지날수록 더욱 자극적인 것을 원하게 돼요. 그 자극이 계속되다 보면 결국 내 몸을 해칠 때까지 보게 되지요. 또 음란물을 보면서 간접적으로 눈으로 즐기는 것이 더 이상 만족스럽지 않게 되면 직접 경험해 보고 싶다는 생각마저 들어요. 그러나 실제로 그런 생각을 행동으로 옮긴다면 상대방은 매우 놀라거나 상황에 따라서는 성 범죄자로 오해할 수도 있어요. 이처럼 음란물을 자주 접하다 보면 원하지 않는 충동과 위험이 생길 수 있으니 조심해야 해요.

## 2. 음란물에 대한 오해

대화책 146-147쪽

음란물에 나오는 행위는 현실과 많이 다릅니다. 물론 음란물에서 남녀의 성기가 서로 만나는 것은 실제 성관계와 비슷합니다. 하지만 실제 성관계는 단지 성기가 만나는 것뿐만 아니라 사랑의 모든 표현이 담겨 있습니다. 하지만 음란물은 행위만을 과장되게 표현할 뿐이라서 아직 성관계의 바른 의미를 모르는 자녀들에게는 현실로 받아들여져 놀라거나 마음의 상처를 입기 쉽습니다.

💬 아빠 생각

나는 청소년 때 친구를 따라서 간 어떤 만화방에서 음란물을 처음 보게 되었습니다. 그 장면은 나에게 큰 충격이었습니다. 그 후로 한동안 밥을 먹을 때도, 공부를 할 때도 그 장면이 떠올라 힘들었습니다. 다시 일상생활로 돌아온 것은 그로부터 두어 달 뒤였습니다. 공부에 집중해야 할 때 두 달간 정신을 흐렸던 일은 나에게 큰 손실이었습니다. 뿐만 아니라 그때부터 여자를 편하게 볼 수 없었고, 부모님을 뵐 때마다 죄책감에 시달렸습니다. 당시 나는 음란물에 담긴 행위가 정상적인 남녀의 성관계라고 생각했기 때문에 성인 남녀들은 전부 변태처럼 보였고, 엄마와 아빠도 음란물에서와 같은 행위를 통해 나와 동생을 낳았다는 생각에 시달려야 했습니다. 그리고 나 또한 어른이 되면 여자와 그런 관계를 맺어야 한다는 것이 혐오스럽기까지 했습니다. 그러나 막상 어른이 되어 사랑하는 사람과 성관계를 해 보니 실제 성관계와 음란물은 많이 다르다는 것을 알 수 있었습니다. 청소년들은 나처럼 음란물로 인한 오해와 상처가 없었으면 좋겠고, 음란물과 현실은 다르다는 것을 알았으면 좋겠습니다.

음란물은 돈을 벌기 위해 성기와 성행위만을 강조하기 때문에 자극적이며 비정상적인 장면이 많아요. 보통 사람들의 일반적인 성생활과는 많이 다르답니다.

사람들이 음란물을 보는 이유는 여러 가지예요. 호기심 때문에 보는 사람도 있고, 스트레스 해소 또는 성기능 문제를 치료하기 위해 보는 사람도 있지요. 하지만 어떤 경우에도 습관적으로 음란물을 보는 건 바람직하지 않아요.

## 3. 성행위와 성관계의 차이

대화책 148-149쪽

보통 '성행위'란 단순히 남녀 성기 결합의 의미로, '성관계'란 서로 사랑하는 남녀가 깊은 관계를 위해 육체적인 관계를 맺는 것을 의미하는 말로 사용됩니다. 행위가 강조된 것이 '음란물'이라면, 관계를 중요시하는 것이 '성인물'이라고 할 수 있습니다.

💬 **아빠 생각**

내가 20대 초반이었던 무렵, 마르그리트 뒤라스의 소설을 원작으로 한 화제의 영화가 있었습니다. 〈연인〉이라는 제목의 이 영화는 프랑스 식민지 시절의 베트남을 배경으로 가난한 프랑스 소녀와 부유한 중국 남자의 사랑을 담고 있습니다. 나는 이 영화 비디오를 빌려 와서 부모님과 함께 보았는데, 알고 보니 수위가 상당히 높은 성인 멜로 영화였습니다. 어쩔 수 없이 약 2시간 동안 식은땀을 흘리며 영화를 보았지만, 죄책감이 들거나 우울하지는 않았습니다. 하지만 내 방에서 음란물을 몰래 보다가 부모님께 들켰을 때는 죄책감도 들고 너무 부끄러워 도망치고 싶었습니다. 이 두 가지 상황을 비교해 보면 음란물과 성인물의 차이를 알 수 있습니다. 음란물은 오직 성행위만을 보여 주는 것으로서 죄책감을 느끼게 했지만, 성인물은 남녀가 만나 사랑하는 과정과 스토리를 담고 있기 때문에 설렘, 기쁨, 슬픔, 아쉬움, 행복의 감정이 생생히 느껴져 부끄럽기는 했어도 죄책감은 없었습니다. 결국 나는 음란물에서는 성행위를 보고, 성인물에서는 성관계를 본 것입니다. 성관계란 나쁜 것이 아닙니다. 단지 성행위와 성관계를 동일시하다 보니 나쁜 것으로 오해를 받는 것 같습니다.

##  어른들은 왜 음란물을 보나요?

대화책 150~151쪽

음란물을 습관적으로 보는 것은 어른이라 할지라도 잘못된 행동입니다. 부모 세대는 성교육을 받을 기회가 없었고, 지금처럼 다양한 성교육 책도 없었습니다. 그래서 성에 대한 호기심이 왕성한 사춘기 때 음란물이나 잘못된 정보를 통해 성을 배우게 되었고, 어른이 되어서도 습관적으로 보던 음란물을 끊지 못하게 된 경우가 많았습니다. 그러나 어른 역시 죄책감과 불편한 감정을 느끼기 십상이므로 필요하다면 주변의 도움을 받아서 음란물을 멀리하는 것이 좋습니다.

 **음란물은 왜 계속 만들어질까요?**

음란물을 보는 사람이 있기 때문입니다. 인간은 원래 호기심이 많은 동물이라서 음란물이 세상에서 완전히 사라지기는 어려울지도 모릅니다. 하지만 음란물을 찾는 사람이 줄어들고, 사회에서도 음란물을 쉽게 볼 수 없는 분위기가 형성된다면 음란물은 점차 줄어들 것입니다.

 **음란물을 멀리할 방법이 있을까요?**

대화책 152-153쪽

쉬운 문제는 아닙니다. 음란물 제작자는 돈을 지불할 수 있는 성인을 대상으로 음란물을 만들지만, 경제 능력이 없는 청소년들도 스마트폰과 인터넷 등으로 음란물을 쉽게 볼 수 있다는 것이 문제입니다. 뿐만 아니라 본인의 의지와는 상관없이 우연히 음란물을 보게 되는 경우도 많습니다. 예를 들어, 친구나 형제 등에 의해 음란물을 접하기도 합니다. 따라서 성교육을 통해 자녀 스스로 음란물임을 인지하고 멀리하거나 혹은 부모님이나 선생님께 말할 수 있도록 가르쳐 주어야 합니다.

💬 **아빠 생각**

스마트폰은 필요한 지식과 정보를 쉽게 찾을 수 있고, 재미있는 기능도 많습니다. 그러나 음란물 같은 바람직하지 않은 미디어를 손쉽게 볼 수 있는 도구가 되기도 합니다. 이 주제로 자녀와 대화를 나누어 본 뒤, 음란물을 멀리하고자 하는 의지를 보인다면 자녀의 스마트폰에

'유해 콘텐츠 차단 앱'을 설치해 주면 도움이 됩니다. 또 스마트폰 사용 시간대를 조절하거나 총 사용 시간을 줄이는 것도 현명한 방법입니다. 더불어 게임 시간에 대해서도 논의해 볼 필요가 있습니다. 이때 무조건 게임을 하지 말라고 금지시키기보다는 게임 시간이 너무 길어서 자녀가 해야 할 것을 못하는 상황이 되지 않도록 하는 데 중점을 두어야 합니다.

오늘날의 음란물은 과거 부모님 세대의 야한 잡지나 영화와는 달라요. 과거의 음란물은 상상력을 동원해서 성적 환상을 갖게 했다면, 오늘날의 음란물은 최대한 자극적인 방식으로 주입할 뿐이지요. 과거의 성인물이 담배와 같다면, 오늘날의 음란물은 마약에 비교할 수 있을 거예요. 자녀가 음란물을 본다면 부모님은 자녀에게 부모가 그 사실을 알고 있음을 명확히 알리는 게 좋아요. 그리고 그 경험과 느낌에 대해 솔직하게 이야기를 나눠야 해요. 이 경우 사춘기 자녀라면 동성 부모가 대화의 주체가 되는 것이 더 효과적이겠지요. 대화를 나누기 전에 충분한 정보를 찾아보고 관점을 확립한 후에 대화를 시작해야 하는 것은 기본이랍니다.

청소년의 음란물 시청은 정신 세계나 인격 형성에 큰 영향을 끼쳐요. 술을 마신다고 모두 알코올 의존자가 되지는 않지만, 술 때문에 알코올 의존자가 되는 건 사실인 것처럼요. 요즘의 음란물도 이와 비슷한 결과를 초래한다는 걸 잊지 말아야 해요.

# 성인물의 의미

## 1. 성인물이란?

대화책 155쪽

'성인물'이란 성인용으로 만든 잡지류나 영상물 따위를 통틀어 이르는 말로, 음란물과는 다릅니다. 성인물을 통해 어른으로서 알게 되는 다양한 현실과 감정 등을 이해하는 데 도움을 얻을 수 있으며, 성관계에 대해서도 간접적으로 배울 수 있습니다. 일반적으로 성인이 되었다고 곧바로 사랑하는 사람을 만나게 되는 것은 아닙니다. 또 사랑하는 사람이 생겼다고 해서 바로 성관계를 할 수 있는 것도 아닙니다. 성관계란 사랑하는 관계가 이어지면서 다양한 사랑 표현 중 하나로서 선택되는 것입니다. 또한 성관계란 지극히 개인적인 일이라서 누구에게 배울 수 있는 것이 아닙니다. 심지어 부모님도 이를 가르쳐 주거나 직접 보여 주기는 어렵습니다. 그래서 성인물이 어떤 경우에는 교육용으로 쓰일 수도 있습니다.

### 💬 아빠 생각

의외라고 생각할지 모르지만, 성인물은 성교육 자료가 될 수 있습니다. 모두가 다 그렇다고 할 수는 없으나, 신중하게 선택한다면 성인물이 사랑과 성관계를 배울 수 있는 훌륭한 시청각 교육 자료가 되기도 합니다. 긴 과정을 짧게 만들다 보니 생략된 부분은 있을 수 있지만 청소년들은 이를 통해 무엇이 사랑인지, 왜 성관계를 선택하게 되는지를 볼 수 있기 때문입니다. 그렇다고 청소년이 사랑을 배우기 위해 성인물을 보아야 한다는 뜻은 아닙니다. 많은 드라마나 영화 중에서 본인의 나이에 맞는 것을 선택해서 보면 됩니다. 그러나 그 이상의 것이라면 부모님과 함께 보는 것도 하나의 방법입니다. 이때 자녀에게 영상 화면에 표시되는 프로그램 등급을 알려 주면서 '나이에 맞는 영상물'에 대해 설명해 주시면 됩니다. 예를 들어, 청소년은 '청소년 관람 불가' 등급은 혼자 보지 말아야 한다고 기준을 세워 주어야 합니다.

##  초등학생이 뮤직비디오를 봐도 되나요?

대화책 154쪽

뮤직비디오는 대부분 초등학생이 보기에는 적합하지 않은 내용이 담겨 있습니다. 부모님과 함께 시청하는 것은 가능하다는 안내 문구는 있지만, 선정적인 부분이 많고 오해의 소지가 있기 때문에 초등학생이라면 가능하면 뮤직비디오를 보지 않는 것이 좋습니다.

💬 **아빠 생각**

성관계란 마치 왈츠와 같아서 춤추는 방법도 알아야 하고, 서로 간의 약속도 필요합니다. 물론 춤이란 반드시 전문적으로 배워야만 출 수 있는 것은 아니지만, 몇몇 춤은 예외가 됩니다. 예를 들어, 왈츠는 혼자가 아니라 둘이 짝을 이루는 춤이라서 춤추는 방법을 모르거나 서로 호흡을 맞추지 못하면 상대방의 발을 밟거나 실수하게 됩니다. 성관계도 마찬가지입니다. 상대방을 이해하고 기다리면서 호흡을 맞추어 가는 관계, 예의를 갖추어 행동해야 하는 관계가 되어야 합니다. 하지만 성관계는 왈츠처럼 배워서 익힐 수 있는 것이 아닙니다. 따라서 청소년들에게는 성인 영화나 드라마가 이런 역할을 하기도 합니다. 영화나 드라마를 통해 남녀가 어떻게 만나고 사랑하며, 왜 성관계를 하고 싶은지 앞뒤 사정을 이해할 수 있기 때문입니다. 따라서 마음의 준비가 된 자녀와 부모님이라면 성교육 중 '성관계'를 이해하기 위해 알맞은 수위의 영화나 드라마를 선택해 함께 보기를 권합니다.

불과 20여 년 전에는 없었던 '음란물 유발 성기능 장애'라는 질병이 최근 생겼어요. 이 질병은 지나치게 자극적인 음란물에 길들여져 정상적이고 일반적인 성관계에서는 자극을 받지 못하는 상태로, 오직 음란물을 통해서만 성적 만족을 얻고 현실의 성관계에서도 과도한 성적 환상을 충족시킬 수 있는 행위에만 집착해요. 그 결과 성적 불만족이 쌓여 발기 부전이나 오르가슴 장애로 나타나는 거예요.

시청 등급 설정이란 폭력물이나 성인물에 시청 등급을 설정하는 기능이에요. TV나 컴퓨터에 '시청 연령 제한 설정' 혹은 '제한 모드 설정'을 해 놓으면 정해진 등급 이상의 영상물을 재생할 수 없어 어린이나 청소년이 폭력물이나 성인물을 볼 수 없어요.

● 비디오물의 등급 분류

| 전체관람가 | 이 영상물은 **전체관람가** 등급으로 모든 연령이 시청할 수 있습니다. |
|---|---|
| 12세관람가 | 이 영상물은 **12세이상관람가** 등급으로 만 12세 이상은 누구나 시청할 수 있습니다. |

제6장 음란물　115

 이 영상물은 **15세이상관람가** 등급으로 만 15세 이상은 누구나 시청할 수 있습니다.

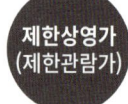 이 영상물은 **청소년관람불가** 등급으로 만 18세 미만의 청소년은 시청할 수 없습니다.

**제한상영가**
(제한관람가) 이 영상물은 **제한상영가** 등급으로 상영 및 광고 선전에 있어 일정한 제한이 필요합니다.

# 제7장
## 성폭력

> 성폭력은 성별과 상관없이
> 강자가 약자를 성적으로 괴롭히는 것

# 일상 속 성폭력

## 1. 성폭력 상황 알기

대화책 158-159쪽

명확히 구분할 수 있는 성폭력은 거부하거나 제지 의사를 표현하기가 쉽습니다. 그러나 경우에 따라서는 명확하게 구분하기 어려운 애매한 성폭력도 존재합니다. 예를 들어, 기분 나쁜 정도로 가볍게 신체를 접촉하거나 스치는 상황이 여러 번 반복되는 경우입니다. 이 외에도 상대방의 허락이나 동의 없이 수치심을 자극하는 말이나 행동도 성폭력에 해당됩니다.

● 일상생활 속 성폭력 사례
  ① 신체 또는 가슴을 허락 없이 스치거나 만진다.
  ② 엉덩이를 실수인 듯 툭 친다.
  ③ 민망할 정도로 치마를 올리거나 바지를 내린다.
  ④ 화장실에서 내 성기를 몰래 훔쳐본다.
  ⑤ 허락 없이 사진을 찍는다.
  ⑥ 가슴이나 성기 쪽을 쳐다보면서 웃는다.
  ⑦ 무리에서 외모를 거론하며 따돌린다.
  ⑧ 특정한 신체 부위나 성기에 대해 놀린다.
  ⑨ 상대방의 의사와 상관없이 야한 그림이나 사진, 동영상을 보여 주거나 혹은 동영상을 보는 자신의 모습을 보게 한다.

성폭력을 판단할 때 가장 중요한 기준은 상대방이 수치심을 느꼈는지의 여부예요. 상대방이 원하지 않는데도 몸을 만지거나, 강제로 성행위를 하거나, 음란한 말이나 행위로 성적 수치심을 느끼게 하는 것 등이 모두 성폭력에 해당돼요. 따라서 서로 사귀는 사이라도 상대방의 의사와 상관없이 마음대로 스킨십을 하면 성폭력이 될 수 있다는 점을 잊지 말아야 해요.

피해 학생과 가해 학생이 비슷한 또래인 '또래 성폭력'은 아는 사이에서 발생하는 경우가 많아요. 또래 성폭력도 학교 폭력과 마찬가지로 처벌을 받아요. 소년원에 가거나 보호 관찰을 받을 수도 있으며, 14세 이상일 경우 소년 교도소에 갈 수도 있어요.

## 2. 명확하지 않은 성폭력

대화책 160-161쪽

우리 주변에는 친밀감의 표현인지 성폭력인지 판단하기 어려운 경우도 적지 않습니다. 친밀과 폭력의 차이가 선을 그은 듯 명확하지 않을 수 있기 때문입니다. 예를 들어, 두 청소년이 길을 걸으며 손을 잡는 상황일 경우 보통은 오랜 친구 사이인지 혹은 잘 모르는 사이인지가 판단의 기준이 됩니다. 대부분 오랜 친구끼리 손잡는 건 괜찮지만 잘 모르는 사이에서 갑자기 손을 잡으면 문제가 된다고 생각할 것입니다. 하지만 이런 생각은 편견이 될 수도 있습니다. 오랜 친구라도 상대방의 의사에 반하여 일방적으로 손을 잡았다면 성폭력이 될 수도 있기 때문입니다. 중요한 것은 얼마나 오래 사귀었는지가 아닙니다. 현재 상대방에 대한 감정과 기분이 어떤지가 판단의 기준이 되어야 합니다. '친밀감'이란 서로 공감하며 매우 친하고 가까운 느낌을 말합니다.

대화책 162-163쪽

### 아빠 생각

상담을 하다 보면 성폭력인지 아닌지 명확하지 않아 혼란스러워하는 경우가 종종 있습니다. 판단 기준을 단지 자신의 기분에만 의존하다 보면 사실 애매모호해지기도 합니다. 어떤 남학생의 상담 사례를 통해 설명해 보겠습니다.

남학생은 "어제까지는 여자 친구와 서로 좋은 감정으로 손을 잡았는데, 그동안 좀 친해진 것 같아 오늘은 어깨에 손을 살짝 올렸더니 갑자기 성추행을 당했다며 화를 내더라고요. 정말 이해가 안 됩니다!"라며 하소연했습니다. 추측건대 그 여학생은 상황 전날까지는 남학생에게 약간의 호감이 있었거나 혹은 남학생에게 자신의 확실한 감정 표현을 하지 않았을 것입니다. 그런데 남학생은 그것을 좀 더 발전된 스킨십이 허용된 것으로 생각했고, 친밀감의 표현으로서 여학생의 어깨 위에 손을 올렸던 것입니다. 그러나 여학생의 입장에서 보면 허락도 없이 자신의 몸에 손을 댄 것이기 때문에 성추행이라고 생각할 수도 있습니다. 남학생은 그런 의도가 아니라 해도 중요한 것은 상대방인 여학생이 느끼는 기분입니다.

해결 방법은 '표현'에서 찾을 수 있습니다. 남학생의 경우 여학생의 눈빛과 행동만으로 추측하다 보면 오해를 하기 쉽습니다. 또 여학생의 경우 표현을 하지 않고 조용히 있으면 거절 의사가 전해지지 않습니다. 손을 잡았을 때 기분이 좋지 않았다면 싫다는 표현을 확실하게 전해야 합니다. 그래도 손을 놓지 않는다면 그건 명확한 성폭력입니다. 어떻게 매번 표현하느냐고 의문을 품을 수도 있지만 결국 습관의 문제입니다. 감정 표현도 습관이라서 평소 표현을 잘하는 편이라면 이런 상황에서도 편하게 감정을 이야기할 수 있습니다. 가벼운 표정으로 "기분이 좋지 않네. 나는 스킨십을 별로 좋아하지 않아."라고 말하면 됩니다.

아동이나 청소년에 대한 성폭력을 '아동 성폭력'이라고 하는데, 몸을 만지는 행위뿐 아니라 만지지 않은 행위도 아동 성폭력이 될 수 있어요. 단지 성적인 말을 하거나 아동과 청소년에게 음란물을 보여 주는 것도 해당돼요. 아동과 청소년이 학교 밖에서 성폭력을 당한 경우에도 학교 폭력으로 인정되어 보호받을 수 있어요.

성폭력뿐 아니라 성희롱도 심각한 범죄 행위예요. 상대방의 의사에 관계없이 성적으로 수치심을 주는 말이나 행동을 '성희롱'이라고 해요. 손을 잡거나 포옹 같은 신체 접촉이나 야한 농담은 물론 외모에 대해 성적인 말을 하는 것도 성희롱이에요.

## 3. 명확하지 않은 성폭력의 대처법

대화책 164-165쪽

명확하지 않거나 애매한 성폭력이라고 판단될 때는 자신의 감정을 정확히 표현해 오해를 없애야 합니다. 예를 들어, 미소를 지으며 "미안하지만 손잡는 건 싫어."라고 하거나 "같이 걷는 건 괜찮지만, 어깨에 손 얹는 건 불편해."라고 하면 됩니다. 침묵하거나 돌려 말하는 등 정확한 의사 표현을 하지 않으면 동의하는 것으로 착각할 수 있습니다. 감정을 표현하는 것이 어색하고 불편하다면 미리 연습을 해 보는 것도 도움이 됩니다. 평소 가정이나 학교에서 감정을 표현하는 연습을 해 둔다면 불편한 상황과 마주쳤을 때 자신의 감정을 좀 더 쉽게 표현할 수 있을 것입니다.

💬 **아빠 생각**

　사춘기가 되면 자녀들이 부모님께 짜증과 불만이 섞인 부정적인 감정 표현을 많이 합니다. 이때 부모님이 이를 반항으로만 생각하여 감정 표현을 억압한다면 자녀들은 점점 더 자신의 감정 표현을 어려워하게 되어 성추행을 당하는 상황에서도 자기 표현에 서툴 수 있습니다. 따라서 자녀의 부정적인 부분은 분명 바로잡아야 하지만, 감정 표현 자체를 탓하는 것은 바람직하지 않습니다. 이런 경우에는 자녀의 감정을 구분 지어 주고, 어떤 식으로 표현해야 하는지 훈련시켜 준다면 성폭력 대처 교육에 큰 도움이 될 것입니다.

### ● 성폭력에 관한 오해

① 성폭력 가해자는 낯선 사람이며 나쁜 사람이다?

　그렇지 않다. 대부분의 성폭력 가해자는 가족, 친구, 친척, 동네 아저씨나 옆집 오빠 등 주변 사람들이며, 성폭력 범죄자 중에는 사회적 지위가 높거나 존경받는 사람들도 있다.

② 끝까지 저항하면 성폭력을 피할 수 있다?

　그렇지 않다. 위험한 상황에 처하면 누구나 놀라고 당황하여 평소처럼 행동하거나 말하기 어렵기 때문에 저항해야겠다는 생각을 행동으로 옮기기 어렵다.

③ 성폭력은 으슥한 곳에서 발생한다?

　그렇지 않다. 성폭력은 으슥하고 한적한 곳보다는 집, 학교, 학원, 놀이터, 직장 등 우리에게 매우 익숙한 곳에서 더 많이 일어난다.

자녀에게 주변에서 또래 성폭력이 발생하면 자신과 상관없는 일이라고 그냥 지나치지 말고 꼭 선생님이나 부모님께 알리라고 지도해 주세요. 이보다 더 중요한 것은 자녀 본인이 또래 성폭력의 가해자가 되어서는 안 된다는 점이겠지요. 이를 위해 평소 상대방을 존중하는 태도를 강조하고, 성적인 충동이 들 때는 잠시 다른 생각을 하거나 충동을 조절할 수 있는 방법 등을 찾아서 알려 주세요.

성폭력은 무거운 범죄예요. 그래서 최근에는 성폭력을 당한 피해자가 직접 신고하지 않아도 처벌을 할 수 있게 법이 개정되었답니다. 특히 아동이나 청소년을 대상으로 성폭력을 저지른 사람은 더 강하게 처벌하고 있어요.

# 언어 성폭력

## 1. 언어 성폭력이란?

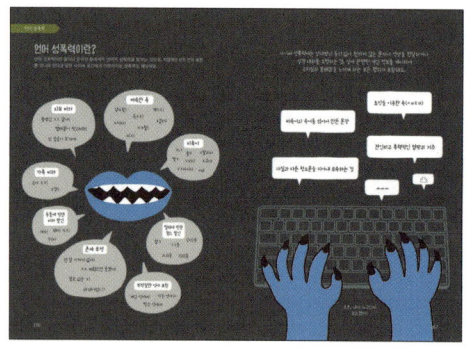

대화책 166-167쪽

신체적 폭력이 아닌 말이나 온라인(인터넷, SNS 등) 등에서 발생하는 언어적 성폭력을 말합니다. 직접적인 성적 언어 표현뿐 아니라 인터넷 같은 사이버 공간에서 이루어지는 성폭력도 해당됩니다. 이것을 사이버 성폭력이라고도 하는데, 상대방의 동의 없이 원하지 않는 문자나 영상을 전달하거나 성적 대화를 요청하는 것, 성에 관련된 개인 정보를 게시하여 수치심과 불쾌감을 느끼게 하는 모든 행위가 포함됩니다.

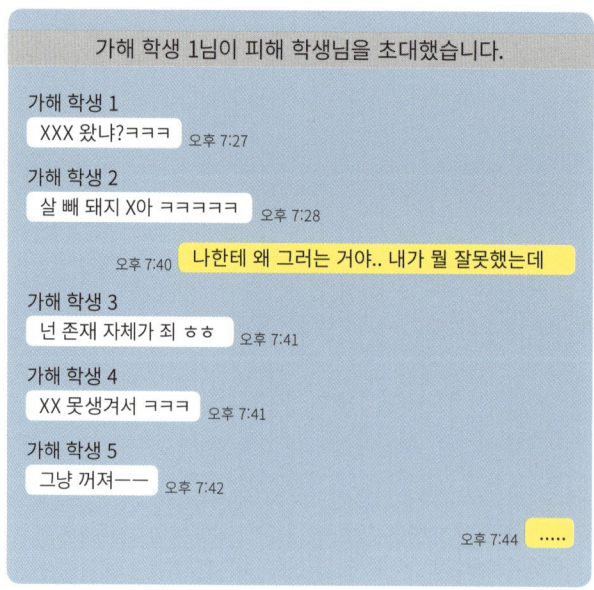

▲스마트폰 대화 창을 이용한 언어 폭력의 예

언어 성폭력은 시간과 공간에 큰 제약을 받지 않아요. 가정과 직장은 물론 온라인 환경이 갖추어진 곳이라면 언제, 어디서든 발생할 수 있어요. 언어 성폭력은 주로 인터넷 게시판, 대화방, 이메일 등에서 일어나는데, 오프라인상의 2차 범행으로 이어지기도 하지만 미리 대처하여 보호하기가 쉽지 않아 각별한 관심이 필요해요.

언어 성폭력을 예방하기 위해서는 비밀번호나 개인 정보 관리를 신중히 해야 해요. 자녀에게 혹시 언어 성폭력 가해자를 만나게 되면 일단 증거 화면을 저장해 두고 경고를 한 다음 신고하라고 지도해 주세요.

## 2. 성폭력이 될 수 있는 언어

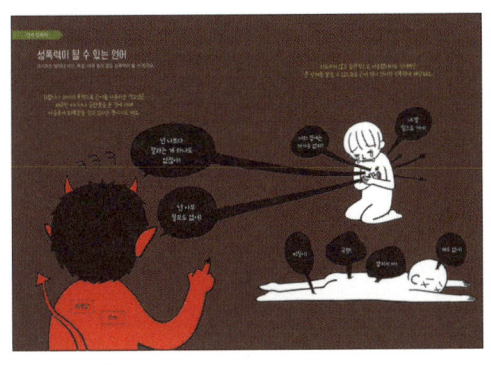
본책 168-169쪽

과시하는 말이나 비난, 욕설, 비하 등의 말도 성폭력이 될 수 있습니다. 성폭력이 될 수 있는 언어를 예로 들면, 세수(초성이 'ㅅㅅ'이라서 '섹스'의 은어로 쓰임), 딸딸이(자위행위), 발기, 자지(음경), 보지(음순), 고추(음경), 조개(음순), 섹스, SEX, 삽입 등 매우 많습니다.

### 💬 아빠 생각

초등학생 성교육 때의 일입니다. 한 고학년 여학생이 나에게 질문했습니다. "저기 있는 남학생이 자꾸 저한테 섹스 해 본 적 있느냐고 묻는데, 그게 무슨 뜻이에요?" 원래 '섹스'라는 말 자체는 나쁜 뜻이 아닙니다. 단지 청소년들이 은어로서 '섹스'라는 말을 사용하기 때문에 문제가 되는 것입니다. 은어로 사용되는 '섹스'는 왜곡된 미디어나 음란물을 본 학생이 수치심과 죄책감을 느끼고 이를 상대방에게 위협적으로 사용하거나 과시하는 목적으로 쓰입니다. 이를 뒤집어 보면 은어를 사용한 학생의 마음속에 죄책감이 크게 자리 잡고 있다는 뜻이 됩니다. 은어를 자주 사용하다 보면 습관적으로 은어가 튀어나올 수도 있습니다. 그러나 의도하지 않았다 해도 그 말을 들은 상대방은 큰 상처를 받을 수 있으므로 언어적 성폭력에 해당됩니다.

언어 성폭력도 엄연히 범죄인데 요즘 청소년들 사이에 언어 성폭력을 가볍게 생각하는 풍조가 생겨 염려스러워요. 흔히 "그냥 장난 좀 친 걸 가지고 무슨 성폭력이냐?"라고 변명하는데, 이건 매우 위험한 생각이에요. 말하는 쪽은 장난일지 몰라도 듣는 상대방에게는 지울 수 없는 상처가 될 수 있으니까요.

"너 정도면 예뻐."라는 말도 칭찬의 말로만 볼 수는 없어요. 외모 평가를 통해 당사자가 성적으로 굴욕감을 느꼈다면 '언어 성희롱'이 될 수도 있거든요. 항상 상대방의 입장에서 생각해 보고 표현하는 자세가 필요해요.

# 성폭력에 대한 대처

## 1. 성폭력에 대한 인식 바꾸기

대화책 170-171쪽

성폭력은 사고(事故)입니다. 길을 가다가 뜻하지 않게 교통사고를 당하듯 성폭력 사고를 당한 것입니다. 따라서 성폭력으로 인해 인생에 오점이 생겼다고 여기거나 죄의식을 가질 필요가 없습니다. 죄의식을 가져야 할 사람은 바로 성폭력 가해자입니다. 학교에서 매년 실시하는 성폭력 예방 교육은 교통사고를 대비한 안전 교육처럼 예방법과 함께 사후 대처법을 배우는 매우 중요한 시간입니다.

## 2. 즉시 보호자에게 알리기

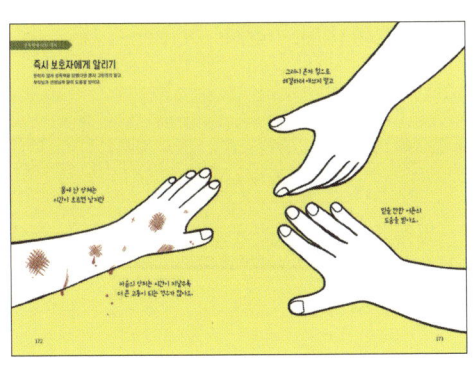
대화책 172-173쪽

만일 뜻하지 않게 성폭력을 당했다면 혼자 고민하지 말고 바로 부모님과 선생님께 알려서 도움을 받아야 한다고 지도해 주어야 합니다. 몸에 난 상처는 시간이 흐르면 낫지만, 마음의 상처는 시간이 지날수록 더 큰 고통이 되는 경우가 많기 때문입니다.

제7장 성폭력

## 3. 성폭력 관련 기관에 신고하기

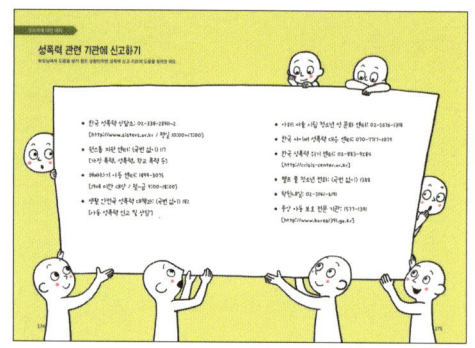

대화책 174-175쪽

가정마다 처한 상황이 달라 자녀에게 무관심한 편인 부모님도 있고, 일 때문에 바빠서 자녀에게 신경을 쓰지 못하는 부모님도 있습니다. 부모님이 계시지 않아 연로하신 조부모님의 보호 아래 성장하는 청소년도 있습니다. 또 드물기는 하나 부모님이 성폭력 가해자인 경우도 있습니다. 이처럼 부모님에게 도움을 받기 힘든 상황이라면 청소년 성 문화 센터나 청소년 상담 기관, 아동 보호 전문 기관, 성폭력 상담소 등 성폭력 신고 기관에 도움을 청해도 됩니다.

◉ 성폭력 피해 신고 기관 및 단체

- 원스톱 지원 센터: (국번 없이)117 [가정 폭력, 성폭력, 학교폭력 등]
- 해바라기 아동 센터: 1899-3075 [19세 미만 대상 / 월~금 9:00-18:00]
- 한국 사이버 성폭력 대응 센터: 070-7717-1079
- 생활 안전국 성폭력 대책과: (국번 없이)182 [아동 성폭력 신고 및 상담]
- 한국 성폭력 상담소: 02-338-2890~2 [http://www.sisters.or.kr / 평일 10:00~17:00]
- 한국 성폭력 위기 센터: 02-883-9284 [http://crisis-center.or.kr]
- 헬프 콜 청소년 전화: (국번 없이)1388
- 아하! 서울 시립 청소년 성 문화 센터: 02-2676-1318
- 탁틴내일: 02-3141-6191
- 중앙 아동 보호 전문 기관: 1577-1391 [http://www.korea1391.go.kr]

대화책 176~177쪽

● 성폭력 피해 직후의 대처 방법

① 의학적 증거는 72시간 이내에 확보해야 하므로 성폭력을 당했다면 몸을 씻지 않고 즉시 병원으로 간다.

② 성폭행을 당했을 때 입었던 옷은 빨지 않고 반드시 종이 봉투나 종이 백에 담는다.

③ 병원에 가서 상처나 멍든 부위를 포함하여 얼굴이 나오도록 사진 촬영을 하고, 전문의로부터 진단을 받는다.

④ 집에서 피해를 당했을 경우 그대로 현장을 보존하고, 피해 현장을 사진으로 남긴다.

⑤ 신고 과정에서 경찰이 변호사 선임 의사를 물으면 필요하다고 대답한다.

⑥ 수사나 재판 과정에서 말을 번복하지 않도록 최대한 기억을 잘 살려 일관되게 진술한다.

 여자가 남자를 성적으로 괴롭히는 것도 성폭력인가요?

대화책 178~179쪽

성별에 관계없이 누구든 사람을 때리는 것은 폭력입니다. 여자는 약하고 남자는 강하다고 생각하여 여자가 남자를 때리는 것은 폭력이 아니라고 여기는 경우가 있는데, 이는 잘못된 생각입니다. 성폭력도 마찬가지입니다. 여자도 남자에게 성적으로 신체적, 정신적 피해를 주거나 수치심을 느끼게 했다면 성폭력에 해당됩니다. 또한 동성 간에도 같은 상황이라면 성폭력이 됩니다. "너 남자(혹은 여자) 맞니? 하하하."라는 말은 여자가 남자에게 해도, 남자가 남자에게 해도 상대방이 수치심을 느꼈다면 모두 언어 성폭력으로 볼 수 있습니다.

### 💬 아빠 생각

성폭력 가해자 중에는 가정이나 사회에서 인정받지 못하거나 스스로 나약하다고 생각하는 사람이 많습니다. 그래서 짓눌렸던 마음을 풀기 위해 자신보다 약한 사람을 찾아 괴롭히거나 상처를 주면서 자신을 위로합니다. 자신의 나약함을 숨기기 위해 주변 사람들을 괴롭히고 욕하고 따돌리는 것입니다. 그러나 폭력은 문제 해결에 전혀 도움이 되지 않습니다. 자녀 주변에 이런 친구가 있다면 부모님과 선생님께 말씀드려서 하루빨리 치료를 받도록 도와주어야 합니다.

성폭력을 당하면 너무 두렵고 부끄러워서 누구에게도 말하지 못하고 혼자서 끙끙 앓는 경우가 많아요. 이럴 때는 평소 믿고 의지했던 어른이나 형제자매 등 주변에 도움을 청할 수 있는 사람이 도움을 줄 수 있어요. 성폭력으로 인한 마음의 상처는 혼자서 극복할 수 없기 때문에 전문가의 상담을 통해 마음의 치료와 안정을 되찾는 과정이 꼭 필요해요.

성폭행 피해를 입었다면 옷을 갈아입거나 씻지 말고 곧바로 병원에 가야 해요. 그래야 성폭력 가해자를 처벌할 수 있는 증거를 확보할 수 있어요. 성폭력 피해자를 도와주는 전문 기관에 연락하면 외상 치료를 받을 수 있는 의료 지원, 가해자를 처벌할 수 있는 법률 지원, 마음의 상처를 치료할 수 있는 상담 지원을 해 준답니다.

# 제8장
## 사랑과 결혼

> 결혼은 여러 사람들 앞에서
> 부부가 되어 사랑하며 함께하겠다는 약속

# 결혼은 왜 할까?

## 1. 만남과 데이트

대화책 182-183쪽

처음 만난 남녀가 모두 다 서로에게 큰 호감을 느끼는 것은 아닙니다. 여러 번의 데이트를 통해 서로를 알아 가고, 공통의 관심사를 발견하면서 점차 연인으로 발전하게 됩니다. 나와 생각하는 것, 좋아하는 것이 같거나 비슷하면 친근함과 편안함을 느낍니다. 또 상대방으로부터 나와 다른 점을 발견하면 호기심과 더불어 자신의 부족한 점을 채워 줄 수 있다는 기대감을 가지고 좋은 관계를 위해 노력하게 됩니다.

💬 **아빠 생각**

나 혼자만 일방적으로 하는 짝사랑은 완전한 사랑이 아닙니다. 사랑이란 같은 마음으로 서로를 바라보는 관계입니다. 만일 사랑을 이루고 싶다면 용기를 내어 고백해야 합니다. 먼저 내 마음을 알리지 않으면 상대방의 마음을 얻기란 쉽지 않습니다. 물론 거절을 당할 수도 있고, 창피할 수도 있습니다. 그러나 고백을 하고 나면 졸였던 마음이 훨씬 편해집니다. 그러한 솔직함과 용기는 자신을 한 단계 더 성장시키는 거름이 됩니다.

사랑하는 사람으로 인해 자신의 단점이 바뀔 수 있다고 믿는 사람들이 종종 있어요. 하지만 상대방이 나를 바꾸는 것이 아니에요. 상대방을 사랑하는 마음으로 인해 내가 스스로 바뀌어 가는 것이지요. 사랑이란 누구를 가르치거나 바꾸려는 것이 아니라 서로 좋은 방향으로 갈 수 있도록 도와주는 것이랍니다.

처음부터 잘 맞는 이성이라는 건 정해져 있지 않아요. 상대방으로부터 배울 점을 발견하고 자연스럽게 닮아 가려고 노력하는 과정에서 보다 끈끈한 관계로 발전해 가는 것이니까요.

## 2. 고백과 연인

대화책 184-185쪽

가까운 동료나 이성 친구를 넘어서 좀 더 안정되고 깊은 관계를 원해 자신의 솔직한 사랑의 마음을 상대방에게 알리고 확인하는 것이 '고백'입니다. 이때 주의할 것은 일방적으로 자신의 마음을 표현한 뒤 받아 달라고 떼를 쓰면 안 된다는 점입니다. 이는 자칫 상대방에게 불쾌감을 줄 수 있고, 심하면 성추행이 될 수도 있습니다. 자신의 마음을 고백하려 한다면 거절의 아픔도 받아들이겠다는 각오로 상대방에게 예의를 갖추어 표현해야 합니다. 만약 자신이 소심하고 말솜씨가 없다고 생각된다면 편지에 자신의 마음을 솔직하게 글로 표현하여 전하는 것도 좋은 방법입니다. 만일 상대방이 다행히 고백을 받아들인다면 두 사람의 관계는 본격적인 연인으로 발전되어 좀 더 친밀한 사이가 될 것입니다.

### 💬 아빠 생각

나의 첫 번째 사랑 고백은 대학생 때였습니다. 몇 주 동안 고민을 하다가 고백 편지를 쓰기로 마음먹었는데, 쓰고 찢기를 수없이 반복했습니다. 결국 편지 쓰기를 포기하고 어려워도 직접 말로 고백했지만, 허무하게도 그녀는 단칼에 거절했습니다. 그 당시에는 너무 창피해서 쥐구멍에라도 숨고 싶은 심정이었고, 그녀의 얼굴을 제대로 쳐다볼 수조차 없었습니다. 하지만 시간이 지난 뒤에 생각해 보니 용기 내어 고백한 나 자신이 대견스러웠습니다. 만일 그때 끝내 내 마음을 표현하지 못했더라면 아마 평생 미련이 남아 후회하지 않았을까 싶습니다.

아마도 짝사랑은 살면서 모두가 한 번쯤 경험하는 감정일 거예요. 짝사랑은 많은 사람들에게 아픔과 고통이 아니라 아름답고 소중한 기억이에요. 가슴 설레는 순수한 감정이기도 하고요.

짝사랑은 부끄러운 것이 아니니 자신의 마음을 알리는 것이 문제가 되는 것은 아니지만, 그렇다고 꼭 알려야 하는 것도 아니니 고백에 대해 스트레스 받을 필요는 없어요. 상황에 따라서는 아름다운 추억 속 한 갈피로 남겨 둘 수도 있어요.

## 3. 결혼과 성관계

대화책 186-187쪽

연인이 되어 오랜 시간 만나다 보면 서로에 대한 믿음과 신뢰가 쌓여 갑니다. 사랑하는 마음은 점점 더 깊어지고, 연인과 인생을 함께하고 싶어 결혼을 청하는 프러포즈를 합니다. 상대방이 이 프러포즈를 받아들이면 주변 사람들에게 두 사람이 부부가 됨을 알리는 결혼식을 올립니다. 그리고 연인에서 부부가 되어 서로 사랑하며 성관계를 하고, 그 과정에서 사랑의 결실인 아기를 낳습니다.

 결혼을 하지 않아도 아기를 낳을 수 있나요?

대화책 188-189쪽

결혼은 부부가 된다는 약속일 뿐 임신과 출산을 해야 한다는 조건은 없습니다. 다만 '결혼'에는 보편적으로 아기를 낳아 기른다는 의미도 포함되어 있습니다. 그리고 혼인 신고란 안정적인 부부 관계와 자녀 양육을 위한 최소한의 법적 책임과 의무를 문서화하는 것입니다. 결국 아기를 낳는 것과 결혼은 무관하며, 성인에 가까워진 남녀라면 생물학적으로 아기를 낳을 수 있습니다.

💬 아빠 생각

성 상담을 하다 보면 고등학생이지만 서로 너무 사랑해서 결혼도

하고 아기도 낳고 싶다는 이야기를 들을 때가 있습니다. 경제적인 자립에 대해 물어보면 부모님께서 도와주실 것으로 믿고 있으며, 부모님의 지원이 불가능하다면 아르바이트라도 구할 생각이라고 얘기합니다. 그 정도로 서로를 사랑하고 책임감도 있는 듯해 나로서도 더 이상 결혼을 말릴 이유를 찾을 수 없었습니다. 그래서 좋은 사랑을 계속 이어 가기를 바라면서 단지 다음의 몇 가지만 더 심사숙고하라고 조언해 주었습니다. 첫째, 결혼과 사랑이란 마냥 좋은 날만 계속되는 것은 아니기 때문에 결혼 전에 힘든 시간도 경험해 봐야 합니다. 최소 1~2년 이상 만나 보면서 그 사이에 어렵고 힘든 일도 함께 극복해 보고, 그 이후에도 확신이 흔들리지 않는다면 그때 결혼해도 늦지 않습니다. 둘째, 결혼이란 세상과 동떨어져 단둘이 살아가는 것이 아니므로 주변 사람들, 특히 양가 부모님을 비롯한 가족에 대해서도 충분히 알아 가는 시간을 가진 후에 결정해야 합니다.

우리나라는 만 18세가 되어야 결혼할 수 있다고 법으로 정해 놓고 있어요. 그렇다고 만 18세만 넘으면 원하는 대로 결혼할 수 있다는 뜻은 아니에요. 만으로 18세 이상 20세 미만이라면 반드시 부모의 동의를 얻어야 결혼할 수 있어요. 또한 만 18세가 되지 않았다면 부모가 동의해도 결혼이 성립되지 않아요. 둘 중 한 사람이 미성년인 경우는 미성년인 쪽 부모의 동의가 있어야 결혼이 가능해요.

아프가니스탄은 세계에서 산모 사망률이 가장 높은 나라 중 하나로 알려져 있어요. 정신적·육체적으로 엄마가 될 준비가 되기도 전에 결혼을 하여 아기를 낳다가 죽기 때문이에요. 또 일찍 결혼한 여자는 임신과 출산, 육아, 집안일에 시달리느라 학교도 다니지 못해요. 결혼 연령에 제한을 두는 이유는 바로 이런 점들 때문이랍니다.

## 4. 아기의 탄생

남녀가 서로 사랑해서 결혼을 하고 가정을 이루어 살아가다 보면 두 사람을 닮은 아기를 갖고 싶은 마음이 생깁니다. 이렇게 태어난 아기는 부부에게 새로운 기쁨이자 희망이 됩니다.

 **어른들은 왜 청소년의 출산을 반대할까요?**

대화책 190-191쪽

아기를 낳고 키우는 것은 간단한 일이 아닙니다. 우선 약 10개월간 엄마 배 속에서 키워 내야 합니다. 또 임신한 몸으로 학교에 다니며 공부하고 또래들과 어울린다는 것도 결코 쉬운 일이 아닙니다. 출산뿐 아니라 아기를 키우는 데에는 여러 면에서 책임과 희생이 따릅니다. 아기를 키우려면 하루 종일 관심을 가지고 돌보아야 하고 기저귀와 분유, 예방 접종 등도 필요합니다. 따라서 경제적인 자립은 매우 중요합니다. 하지만 청소년기에는 이런 현실적인 문제들을 감당할 수 없기 때문에 어른들이 청소년의 출산을 반대하는 것입니다.

 청소년기는 재미있는 일, 하고 싶은 일이 많아요. 하지만 미래에 대한 계획과 인생의 방향도 생각해야 하는 시기이지요. 그러므로 지금 당장 꼭 해야 할 일이 아니라면 잠시 미루어 두는 것이 현명한 방법이에요. 좋아하는 사람과의 사이에 아기가 태어나는 것은 물론 행복한 일이지만, 무리한 욕심으로 세 사람 모두 슬픔과 불행에 빠질 수도 있다는 점을 잊지 말아야 해요.

누구에게나 '가장 좋은 때'라는 것이 있어요. 경제적 능력이 생기고 아기를 키울 수 있는 환경이 갖추어졌을 때 축복받으며 태어날 미래의 내 아기를 위해 지금은 잠시 기다리는 시간을 갖는 것이 본인뿐만 아니라 아기에게도 중요하답니다.

## 5. 부부에서 가족으로

대화책 192-193쪽

태어난 아기로 인해 엄마와 아빠는 '부부'에서 '가족'이라는 작은 사회적 공동체를 이룹니다. 아기를 낳고 엄마와 아빠가 되어 더욱 서로를 믿고 사랑하면서 살아갑니다. 그리고 아기가 건강하고 훌륭한 사회 구성원이 될 수 있도록 책임감을 가지고 자녀를 열심히 양육합니다.

 부모로서의 책임감이란 결코 무겁기만 한 것은 아니에요. 미숙했던 한 남자와 한 여자가 아빠와 엄마가 되면서 비로소 어른으로서 한 단계 레벨 업 되는 것이라고 할 수 있지요.

한 생명을 키워 낸다는 것은 결코 쉬운 일은 아니지만, 힘든 만큼 보람 있고 위대한 일이랍니다.

# 이혼은 왜 할까?

## 1. 결혼의 약속을 깨는 이혼

대화책 194~195쪽

행복한 삶을 위해 결혼을 했지만, 살다 보면 어려운 일도 생기기 마련입니다. 하지만 결혼식 때 여러 사람 앞에서 약속했던 것처럼 서로를 도와 어려움을 잘 극복한다면 부부는 더 강한 믿음과 신뢰로 사랑을 이어 갈 수 있습니다. 그러나 오해가 쌓인 채 시간이 흐르다 보면 서로에 대한 미움이 커져 극복할 수 없는 지경에 이르기도 합니다. 결국 함께하는 것이 불행하다고 판단되면 마음 아픈 일이지만 결혼이라는 약속을 깨고 이혼을 선택할 수도 있습니다.

💬 **아빠 생각**

나는 3년 동안 연애를 한 끝에 결혼했습니다. 결혼 후 2년은 매일매일 행복한 시간이었습니다. 그러나 차츰 서로가 몰랐던 부분을 발견하고 불만도 생겨 부부 싸움을 하게 되었습니다. 미움이라는 것은 힘든 상황이나 환경에서 쉽게 생기기 마련이라서 우리 부부도 어려움에 부딪쳤을 때 이혼을 생각한 적이 있었습니다. 그러나 우리는 결혼 전에 한 가지 약속을 했었습니다. 무슨 일이 있어도 '이혼'이라는 말만은 절대 입 밖에 꺼내지 말자는 것이었습니다. 사람은 흥분하고 화가 나면 충동적으로 속마음과 다른 말이 튀어나올 수도 있어서 오해가 생겨 원하지 않는 방향으로 내달리다 보면 뜻하지 않게 이혼을 맞을 수도 있다는 것을 염려한 까닭이었습니다. 그 약속 덕분인지 우리 부부는 많은 갈등과 시련을 잘 이겨 내고 지금까지 결혼의 약속을 지켜 가고 있습니다.

#  '한 부모 가족'이란 어떤 가족을 말하나요?

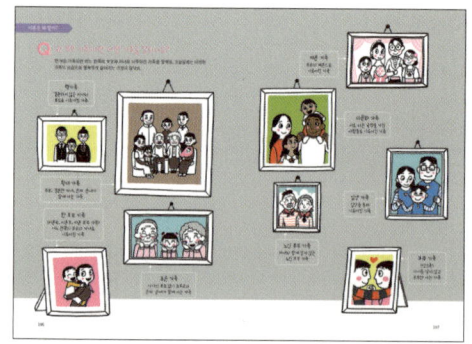

대화책 196-197쪽

사회는 '가족'의 기본 구성원을 보통 양육을 담당하는 아빠와 엄마, 그리고 자녀로 봅니다. 그런데 부모님 중 한 분 또는 두 분 모두 돌아가셨거나 이혼 혹은 별거를 하여 부모님의 역할을 한 분 또는 다른 분이 맡게 되면 이를 '한부모 가족'이라고 부릅니다. 가정이나 가족이란 엄마와 아빠가 꼭 함께 있어야 하는 것이 아닙니다. 한쪽 부모님 혹은 할아버지나 할머니 등 부모님의 역할을 하는 분을 중심으로 한 구성 역시 가족이며, 자녀 없이 부부만으로 구성된 가족도 있습니다.

● 다양한 가족의 모습

① 핵가족: 결혼하지 않은 자녀와 부모로 이루어진 가족

② 확대 가족: 부모, 결혼한 자녀, 손자·손녀가 함께 사는 가족

③ 한 부모 가족(미혼모, 미혼부, 미혼 부부 가족): 어느 한쪽의 부모와 자녀로 이루어진 가족

④ 조손 가족: 아이의 부모 없이 조부모와 손자·손녀가 함께 사는 가족

⑤ 재혼 가족: 부모님의 재혼으로 이루어진 가족

⑥ 다문화 가족: 서로 다른 국적을 가진 사람들로 이루어진 가족

⑦ 입양 가족: 입양을 통해 이루어진 가족

⑧ 노인 부부 가족: 자녀와 함께 살지 않는 노인 부부 가족

⑨ 부부 가족(딩크족): 아이를 낳지 않고 부부만 사는 가족

약속이란 지켜야 하는 것이 맞아요. 하지만 절대 깰 수 없는 것은 아니에요. 결혼 생활이 회복될 수 없을 정도로 불행하다면 결혼의 약속을 지키기 위해 억지로 같이 살 이유는 없어요. 따라서 이혼을 선택했다고 해서 무조건 나쁜 사람, 부족한 사람이라고 비난할 수는 없는 거예요.

자녀가 태어나면 이혼은 단순히 두 남녀 간의 약속을 깨는 문제로만 끝나는 것이 아니에요. 결혼이라는 약속은 깨질 수 있지만, 부모와 자녀의 관계는 절대 깨질 수 없으니까요. 부모는 이혼을 해도 책임감을 갖고 자녀가 성인이 될 때까지 보살펴 주어야 해요. 결혼과 이혼은 이처럼 중요한 선택이므로 깊이 생각한 끝에 결정해야 해요.

# 이성애와 동성애

## 1. 보편적인 사랑과 소수자

대화책 198-199쪽

이성 간의 사랑을 '이성애'라고 하고, 동성 간의 사랑을 '동성애'라고 합니다. 우리 주변에는 다수의 이성애자들과 소수의 동성애자들이 있습니다. 사회는 일반적으로 다수의 생각과 의견을 따르므로 이성애를 보편적 사랑의 기준으로 삼습니다. 그러나 소수의 입장도 무시할 수 없으므로 동성애 또한 사랑으로 받아들여집니다. 사람은 남녀로 성이 나뉘어 태어나지만, 다양한 이유로 몸과 마음이 다르게 태어나는 경우도 있습니다. 몸은 남자인데 마음과 생각은 여자인 경우도 있고, 그 반대인 경우도 있습니다. 하지만 이성애자이건 동성애자이건 사랑하는 마음은 같습니다. 중요한 것은 남자와 여자가 아니라, 사람과 사람 간의 사랑입니다. 사랑은 어떤 형태이건 소중하므로 모두 존중받아 마땅합니다.

💬 **아빠 생각**

성(性)을 '번식'이라는 관점으로 보면 동성애는 분명 잘못된 것입니다. 그러나 성을 인간관계와 생존의 측면에서 본다면 동성애는 사람과 사람의 만남입니다. 인간은 관계를 중시하는 존재이며, 이를 통해 경쟁하고 협력하며 지금까지 발전해 왔습니다. 사랑이란 성기가 다른 두 이성의 만남이 아니라, 사람과 사람이 서로를 아껴 주고 존중하는 마음에서 나온다는 것을 잊지 말아야 합니다. 단, 자녀가 불안감이 많거나 예민하다면 굳이 동성애를 사랑으로 인정해야 한다고 강요할 필요는 없습니다. 이성애가 보편적인 사랑이라는 것을 강조해 주는 것으로 충분합니다.

'소수자'란 장애인, 이주 노동자, 탈북자, 농민, 동성애자 같은 사람을 말해요. 이들이 세상에 잘 알려져 있는 대표적인 소수자라고 한다면 소수 종교를 믿는 사람, 왼손잡이나 에이즈 환자 및 희귀 질환자 등은 세상에 잘 알려지지 않은 소수자라고 할 수 있어요. 누구나 당연히 누려야 할 권리를 소수자라는 이유로 누리지 못한다면 이 사회는 진정 평등하다고 할 수 없겠지요.

나도 소수자가 될 수 있다는 생각으로 그들을 이해하고 받아들이는 노력이 필요해요. 뜻하지 않은 사고로 장애를 겪을 수도 있고, 도시를 떠나 귀농민이 될 수도 있으며, 외국으로 이민 가서 노동자가 될 수도 있잖아요. 동성애에 대한 편견은 동성애에 대한 무지에서 비롯된 것일지도 몰라요. 동성애든 이성애든 여러 가지 사랑 중 하나인데 말이에요.

## 2. 동성애를 바라보는 시선

대화책 200-201쪽

다수의 이성애자들이 볼 때, 소수의 동성애자들이 이상하게 여겨지거나 그들과 가까이하면 그 영향으로 나도 동성애자가 되는 것은 아닌지 겁을 먹을 수 있습니다. 그러나 동성애자로 인해 이성애자가 갑자기 동성애자로 바뀌는 일은 없습니다. 단지 사춘기 청소년은 성 정체성을 찾아 가는 시기라서 사랑의 방향이 이성애인지 동성애인지 혼란스러울 수도 있습니다. 그러나 성 정체성이란 쉽게 바뀌는 것이 아니기 때문에 너무 걱정할 필요는 없습니다. 가정에서 부모님의 부부 간 사랑을 보고 느끼며 자란 자녀는 시간이 지나면 자연스럽게 자신의 방향을 찾고 안정을 찾습니다. 또 그런 자녀는 굳이 다른 사랑에 대해서도 연연하거나 불안해하지 않습니다.

### 💬 아빠 생각

사춘기 자녀를 둔 어떤 부모님께서 동성애 문제로 상담을 청해 온 적이 있습니다. 자녀와 함께 길을 가다가 우연히 동성애자 축제를 보게 되었는데, 너무 낯설어 두렵게 느껴졌다고 하셨습니다. 그러면서 자녀가 호기심에 혹시 관심을 갖게 될까 봐 걱정하셨습니다. 나는 이성애의 마음이 동성애자를 봤다고 갑작스럽게 바뀌거나 없어지는 것은 아니니 걱정할 필요 없다고 설명해 드렸습니다. 나 또한 동성애 축제의 일부 표현들은 아직 우리 사회로서는 부담스럽게 느껴지는 점이 없지 않다고 보여집니다. 하지만 이 문제는 이성애의 경우도 마찬가지입니다. 이성애자 역시 주위 시선을 의식하지 않고 과한 애정 표현을 한다면 예의가 없다고 손가락질을 받습니다. 다만 동성애는 아직 우리 사회에서 존중받지 못하고 멸시를 받다 보니 동성애자들이 축제를 통해 슬픔과 분노를 표출하는 것이라고 생각합니다. 만일 우리 사회가 동성애자를 최소한 존중만이라도 해 준다면 불편한 시선을 견뎌 가며 무리한 표현을 하지는 않을 것이라 생각합니다.

미국의 동성애자는 전체 인구의 2~4%로 알려져 있으며, 1973년 미국정신의학회는 동성애를 정신 질환에서 제외했어요. 부모나 타인에 의해 성 정체성이 정해지는 것은 바람직하지 않다고 생각해요. 우리 사회는 차츰 동성애를 이해하고 이 또한 하나의 성 지향성임을 받아들이는 추세예요.

동성애는 정신과 치료가 필요한 질환이 아니에요. 성은 다양한 관점에서 바라보아야 해요. 우리 사회의 성 소수자를 잘못된 대상, 고쳐야 할 대상으로 보는 것은 옳지 않아요. 그저 대다수와 다를 뿐이라는 사실을 받아들이고 이해해야 해요. 성의 다양성도 사회의 여러 가지 다양성 중 하나로 받아들여질 때 사회는 건강하게 발전할 수 있답니다.

# 성평등과 존중

## 1. 진정한 성평등

대화책 202-203쪽

남편이 설거지하는 아내에게 다정하게 말을 건넵니다. "내가 설거지 도와줄까요?" 언뜻 생각하면 남편이 아내를 위해 설거지를 돕겠다는 행복한 가정의 모습입니다. 그러나 페미니즘의 시각으로 보면 남편과 아내의 의식 속에 '설거지는 여자의 몫'이라는 고정 관념이 담겨 있습니다. 설거지는 어느 한쪽의 의무가 아니라 부부 공동의 몫이므로 '돕는다'는 의식과 표현은 바뀌어야 합니다. 이처럼 성평등이란 사회 의식을 바꾸기 이전에 가정 내 작은 불평등부터 바꾸어 나가야 합니다.

## 2. 페미니즘이란?

대화책 204-205쪽

옛날부터 이어져 온 가부장제와 남성 중심주의는 여성들에게 많은 억압과 차별을 주었습니다. 그러나 현대에는 이를 개선해 나가고자 하는 다양한 사회·정치적 운동과 이론들이 생겨났습니다. 이를 '페미니즘'이라고 합니다. 여성의 권리와 사회적 참여가 차츰 늘어나면서 여성의 주체성도 함께 확립되었습니다. 오늘날 페미니즘은 계속 발전되고 확장되어 현재 성 소수자 권리 운동까지 함께하고 있습니다.

## 3. 미디어와 페미니즘

대화색 206-207쪽

미디어에서 언급되는 페미니즘의 모습은 마치 남성 혐오적인 여성 운동으로 보이기도 합니다. 이런 모습 때문에 남자들 사이에서 페미니즘에 대한 거부감이 증가하고 있습니다. 그러나 페미니즘의 원래 의미는 성별로 인해 발생하는 정치·경제·사회·문화적 차별을 없애자는 견해입니다. 성별 간의 싸움도 아니고, 권리를 동등하게 나눠 가져야 한다는 의미도 아닙니다. 예를 들어, 어느 대학교에 남학생 수가 많으니 여학생을 더 뽑아 성비를 똑같이 해야 한다는 의견이 있다면 그건 페미니즘과 상관없는 잘못된 생각일 뿐입니다. 페미니즘은 똑같아져야 한다는 '동등'이 아니라 남녀 간에 차별을 두지 말아야 한다는 '평등'의 의미로 보아야 합니다. 또한 가부장제란 남자가 여자를 지배한다는 것뿐만 아니라 지배하는 구조 그 자체를 지적하는 것입니다. 따라서 여성이 여성을, 어머니가 자녀를 지배하고 통제하는 것도 가부장제에 해당됩니다. 결국 페미니즘은 성별을 나누고 구분하는 것이 아니라 사람 간의 차별을 인지하고 평등해지도록 바꾸어 나가자는 것입니다.

💬 아빠 생각

한 여고생이 상담을 요청해 왔습니다. 그 여학생은 페미니즘을 알게 되어 페미니스트가 되고 싶다고 했습니다. 그러나 이야기를 나누다 보니 페미니즘을 따르려 한다기보다는 남성에 대한 불만과 적대감이 크다는 것을 알 수 있었습니다. 페미니스트란 남성을 혐오하고 적대하는 사람이 아닙니다. 단순히 남녀 평등만을 의미하는 것도 아닙니다. 페미니스트란 모든 사람 간의 차별을 없애고자 노력하는 사람을 말합니다. 그런 의미에서 본다면 페미니스트는 꼭 여성일 필요도 없습니다.

딸과 함께 텔레비전을 보다가 페미니스트를 자칭하는 여성이 말하는 것을 보게 되었어요. 그런데 그녀는 남성을 너무 나쁘게만 보고 있었어요. 거의 혐오 수준이랄까요. 그렇기 때문에 자신은 남성이 아니라 여성을 사랑한다며 동성애자임을 밝히더군요. 제 마음이 불편한 것은 차치하고, 딸 보기가 너무 부담스러웠어요. 페미니즘은 사람 간의 차별을 없애 평등해지도록 하자는 것임을 잊지 않았으면 좋겠어요.

가부장제가 남자들로부터 비롯된 문제라고 생각하는 사람이 많을 거예요. 과거에는 저도 그랬으니까요. 하지만 여성인 아내가 남편과 자녀에게 가부장제를 내세우는 경우가 있다는 것을 알게 되어 깜짝 놀랐고, 많이 반성했답니다.

## 4. 혐오와 페미니즘

대화책 208-209쪽

세상에는 다양한 외모와 성격, 성향을 지닌 사람들이 있습니다. 자신과 다름을 인정하고 존중한다면 사회적 약자에 대한 차별, 폭력 등의 사회 문제는 해결될 수 있습니다. 미래의 주인인 청소년들이 열린 마음으로 다양한 사람들과 조화롭게 살아가는 세상이 되었으면 합니다.

💬 **아빠 생각**

　페미니즘의 의미는 평등, 존중, 사랑에 있다고 생각합니다. 그런데 페미니스트가 그런 모습보다는 강한 언행에 치중하는 이유는 페미니스트의 출발이 '여성 혐오 의식을 대물림하는 사회'에 대한 거부에서 생겨났기 때문입니다. 그러다 보니 차분하고 부드럽게 이야기하기보다 강하게 어필할 수밖에 없었을 것입니다. 생각해 보면, 그런 강한 모습 때문에 사회가 관심을 갖게 된 것도 사실입니다. 역사적으로도 혁신은 강한 의지 못지않게 행동에서 변화를 이끌었던 경우가 많았기 때문입니다. 물론 그중에는 페미니스트가 부담스럽다고 생각하는 무리도 있을 수 있지만, 어찌 보면 큰 변화의 흐름이며 몸부림일 것입니다. 이런 과도기적 페미니즘을 거쳐 성평등이 확고해진다면 이는 여성뿐 아니라 남성의 사회적 억압과 부담도 덜 수 있기 때문에 결국 남녀 모두에게 유익하다고 생각합니다. 또 성 상담을 하다 보면 여성이니까 페미니스트가 되어야 한다는 부담으로 고민하는 여학생도 있습니다. 그러나 무엇보다도 중요한 것은 자신이 어떤 생각을 갖고 있는지입니다. 차별과 혐오인지, 존중과 평등인지 그 구분이 우선입니다.

19세기부터 1950년대까지 전개된 페미니즘 운동의 핵심은 여성들의 정치 참여와 흑인들의 권리 신장 움직임이 주축이 되었어요. 이에 따라 미국에서는 1870년 흑인들의 참정권 인정에 이어 1920년 여성들의 참정권이 인정되었지요. 그리고 1990년대 이후 등장한 페미니즘 운동은 다양한 집단과 계층으로 확대되어 성 소수자들의 권리 운동도 함께 전개되었어요.

페미니즘이 남녀의 성적 차별을 깨자는 운동인 데 반해 피메일리즘은 남녀의 신체적 차이를 인정하되 여성으로서 남자보다 뛰어난 점도 많다는 것을 인식하자는 또 다른 여성 운동이에요.

• 마치는 글

# 성교육보다 먼저 알려 주고 싶은 것은 바로 '사랑이란 무엇일까?'에 대한 것

우리 부모 세대는 분명 성교육의 기회가 없었습니다. 그래서 뉴스와 미디어에 등장하는 성폭력, 성추행 뉴스를 볼 때마다 당혹스럽고 두렵습니다. 이런 불안감에 부모님은 성교육을 통해 자녀들의 성폭력과 성추행 피해를 막아 보고자 노력합니다. 그러나 부모님께서 성교육을 단지 지식과 음란물, 성폭력 예방 교육으로만 보지 않으셨으면 좋겠습니다.

그보다 더 중요하고 또한 그보다 먼저 자녀에게 알려 주어야 하는 것은 바로 '사랑이란 무엇인가?'입니다. 자녀가 사랑에 있어서 무엇이 옳고 그른지를 구분할 수 있도록 해 주는 것이 어찌 보면 성교육을 포함한 자녀 교육의 맥(脈)입니다.

부모 세대는 성교육을 받지 못했다지만 그렇다고 사랑을 모르지는 않습니다. 우리 또한 사춘기를 겪었고, 연예인에 열광했으며, 이성을 찾아 헤매다 좌절도 하고 슬픔도 겪어 보았습니다. 또 데이트와 연애를 하면서 사랑에 대해 생각했고, 그로 인해 즐거웠으며, 결혼을 하고 아기를 낳아 키우며 행복을 만끽했습니다.

우리는 비록 청소년기에 성교육을 받지는 못했지만, 성에 대해서 자녀들에게 충분히 가르칠 수 있는 '인생'이라는 경험을 몸소 터득한 부모 세대입니다. 그러니 성을 부담스러워하지 말고, 두려워하지 않았으면 좋겠습니다. 우리 부모 세대는 삶의 경험을 통해 벌써 많은 것을 알고 있고, 또한 그것을 자녀들에게 가르쳐 줄 수 있는 인생 선배이자 성 전문가이기 때문입니다.

### Q & 아빠 생각

- **Q** 왜 사춘기가 되면 화장을 하고 싶어 할까요?  014
- **Q** 사춘기 아이들이 이상형에게 관심을 쏟는 이유는 무엇일까요?  016
- **Q** 사춘기가 되면 키가 안 크나요?  020
- **Q** 사춘기가 되면 부모님과 자주 싸우게 되는 이유가 뭘까요?  028
- **Q** 동성 친구보다 이성 친구와 더 친하면 이상한 건가요?  033
- **Q** 왜 성장하면서 남녀의 놀이 방법이 달라질까요?  044
- **Q** 모유는 어떤 맛인가요?  050
- **Q** 여자는 브래지어를 꼭 착용해야 하나요?  053
- **Q** 왜 남자에게도 젖꼭지가 있을까요?  054
- **Q** 음낭은 왜 늘었다 줄었다 하나요?  058
- **Q** 가성 포경인데 포피가 잘 안 벗겨져요!  060
- **Q** 초경 후 한참 지났는데 아직도 월경 주기가 불규칙해요!  066
- **Q** 생리대를 꼭 사용해야 하나요?  069
- **Q** 옛날에도 생리대가 있었나요?  070
- **Q** 정액과 오줌이 동시에 나올 수도 있나요?  075
- **Q** 성인이 아니어도 아침에 발기가 되는 것이 정상인가요?  075
- **Q** 성관계 때 음경이 발기되는 이유는 무엇인가요?  076
- **Q** 아침에 발기되면 몽정을 한 것인가요?  079
- **Q** 팬티에 무언가 묻어 있는데, 몽정을 한 것일까요?  079
- **Q** 몽정 때 정액이 많이 나오는데, 정상인가요?  080
- **Q** 몽정 때 나온 정액에서 이상한 냄새가 나요!  080

**Q** 매일 몽정을 해도 괜찮은가요? 080

**Q** 여자도 몽정을 하나요? 081

**Q** 부모가 자녀의 자위에 대해 알고 있어야 하나요? 084

**Q** 자위하면 키가 안 크나요? 085

**Q** 자위를 하면 죄책감이 들어요! 086

**Q** 자위 횟수를 조절할 수 있나요? 087

**Q** 자위를 많이 하면 아기를 낳을 수 없나요? 087

**Q** 사람은 왜 남자와 여자로 나뉘어 태어날까요? 091

**Q** 남자와 여자는 왜 성관계를 하나요? 092

**Q** 부부가 성관계를 하는 것은 아기를 낳기 위해서인가요? 093

**Q** 임신하면 배가 얼마나 나오나요? 098

**Q** 쌍둥이는 왜 생기나요? 099

**Q** 아기를 낳는 고통은 얼마나 큰가요? 100

**Q** 어른들은 왜 음란물을 보나요? 110

**Q** 음란물은 왜 계속 만들어질까요? 111

**Q** 음란물을 멀리할 방법이 있을까요? 111

**Q** 초등학생이 뮤직비디오를 봐도 되나요? 114

**Q** 여자가 남자를 성적으로 괴롭히는 것도 성폭력인가요? 129

**Q** 결혼을 하지 않아도 아기를 낳을 수 있나요? 135

**Q** 어른들은 왜 청소년의 출산을 반대할까요? 137

**Q** '한부모 가족'이란 어떤 가족을 말하나요? 140

# 성교육 하는 아빠의 괜찮아, 사춘기

초판 1쇄 발행 · 2020년 5월 14일
초판 3쇄 발행 · 2024년 7월 1일

**글** · 박제균
**그림** · 김혜선
**발행인** · 김혜선
**책임 편집** · 조경영
**디자인** · 공하나
**구성 작가** · 조지은

**발행처** · 고양이뿔
**등록 번호** · 제 2018-000073호
**주소** · 경기도 광명시 범안로996번길 6, 1016호
**전화** · 070-4575-0755
**팩스** · 0303-3444-0601
**홈페이지** · http://goyangbb.com/
**이메일** · goyangbb@naver.com

© 박제균, 김혜선 2024

ISBN 979-11-962324-5-0 (77330)

＊ 이 책은 저작권법에 의해 보호받고 있으므로 (주)고양이뿔의 동의나 허락 없이 내용이나 그림을 어떠한 형태로도 사용할 수 없습니다. 이를 어기고 무단으로 사용할 경우 법적 제재를 받게 됩니다.